POCHE

MÈRE ET FILS

Tout est dans la tête, avec Éric Albert, 1992, « Poches Odile Jacob », 2001.
Le Sexe des émotions, 1996, « Poches Odile Jacob », 2000.
L'Adolescence aux mille visages, avec D. Marcelli, 1998.
Le Guide de l'adolescent. De 10 ans à 25 ans, 1999, 2001, 2007.
Petit ou grand anxieux ?, 2002, « Poches Odile Jacob », 2004.
Les Filles et leurs pères, 2007.

ALAIN BRACONNIER

MÈRE ET FILS

Odile Jacob

poches

© ODILE JACOB, 2005, FÉVRIER 2007

15, RUE SOUFFLOT, 75005 PARIS

www.odilejacob.fr

ISBN 978-2-7381-1891-2

ISSN : 1621-0654

À toutes les mamans du monde.

« Il y a une femme à l'origine de toutes les grandes choses. »

LAMARTINE

INTRODUCTION

Les mères aimeraient-elles trop leur fils ? Aujourd'hui, les mères que je rencontre me posent souvent cette question : quelle distance dois-je mettre entre mon fils et moi pour qu'il soit bien dans sa peau et qu'il puisse devenir un homme à l'aise avec les femmes ? En d'autres termes, quelle mère d'aujourd'hui pour quel fils de demain ? Élever un fils prêt à faire face aux enjeux du monde moderne exige-t-il une mère présente, aimante et chaleureuse ou bien une mère discrète, en retrait, réprimant un lien naturel d'amour ? Ma réponse va clairement à la première proposition.

Pour ma part, et contrairement à certaines idées reçues, je défends l'idée que l'amour d'une mère est source de bienfaits pour son fils. Certes, certaines peuvent étouffer leur garçon, mais cela m'apparaît beaucoup plus rare qu'on ne l'a dit… et, parfois, écrit. Mon expérience de thérapeute m'a amené à rencontrer beaucoup plus de mamans qui avaient peur de trop aimer leur fils que de mères étouffantes et fusionnelles.

Dans l'imaginaire collectif, les relations qui unissent les fils à leur mère ont de tout temps suscité des représentations symboliques ou imaginaires contrastées : d'un côté, la mère nourricière, protectrice, porteuse de vie et de force ; de l'autre, la mère dévorante, castratrice, image de danger et même de mort. Chez les spécialistes de la psyché humaine, c'est autre chose : on a beaucoup critiqué les mères, apparemment trop protectrices avec leur fils, mais très peu ont étudié cette relation en détail, à la différence de la relation mère-fille[1] ou la relation père-fils[2]. Plus étrangement encore, la psychanalyse, dont l'objet principal repose sur l'étude des relations parents-enfants, s'est très peu penchée sur les relations que Freud ou Lacan eux-mêmes avaient avec leur mère respective.

En trente ans, le point de vue sur le rôle maternel a connu une histoire à rebondissements. On est passé d'une culpabilisation systématique au moindre problème présenté par l'enfant à la « découverte » suivante, toute récente : l'amour d'une mère serait semblable à une potion magique ; il doperait les enfants pour la vie ; il aurait même, dès la naissance, un effet positif sur d'éventuelles vulnérabilités génétiques. Cela peut bouleverser le message trop souvent entendu : « Mesdames, ne soyez pas mères poules, vous étouffez vos fils ! », message repris par nos psychanalystes préférés : « Attention aux mères castratrices ! »

Julien m'a permis un jour de comprendre ce que peut représenter une mère pour son fils. Âgé de 7 ans, ce petit garçon, incontestablement précoce mais turbulent, me dit : « Ma mère, c'est comme une veilleuse, elle est tout le temps là et, quand je suis triste, elle peut tout de suite s'allumer pour réchauffer mon cœur. » Peut-on trouver meilleure image pour une mère que celle de « veilleuse » ? Julien me donna alors l'occasion de réfléchir, à propos de sa mère, aux différents sens contenus dans cette image :

prendre soin, surveiller, songer, être en alerte, donner de la lumière là où il pourrait faire trop sombre...

Nous savons tous que, dans la vie d'un homme, l'expérience d'une mère est décisive. Albert Cohen l'a magnifiquement écrit : « Eh bien, moi, je t'envoie les yeux ennoblis par toi, je t'envoie à travers les espaces et les silences ce même acte de foi, et je te dis gravement : ma Maman[3]. » Une mère, on n'en a qu'une ; quand elle disparaît, on se sent orphelin ; c'est le premier grand amour. « On ne guérit jamais du mal de mère ; on le protège secrètement ou on l'exorcise », me confia un jour un mari dont la femme se plaignait des liens trop étroits qu'il continuait d'entretenir avec sa mère. Si, dans certains couples, cette plainte est parfaitement justifiée, les résultats des études sur les liens mère-fils[4] vont globalement dans un autre sens : « L'amour d'une mère rend fort ; il n'empêche pas, bien au contraire, et sauf dans les cas d'attachement extrême, un garçon de devenir un homme. »

Carole, mère d'un garçon de 9 ans, m'interroge sur ses angoisses concernant son fils Aymeric. Elle le trouve trop timide, et il a du mal à se faire des amis à l'école. La maîtresse a renforcé ses craintes en lui disant qu'elle le trouvait un peu isolé en classe. Carole s'inquiète du fait qu'Aymeric est de petite taille, alors que son frère aîné est grand pour son âge, « comme son père ». Ferait-il des complexes ? se demande-t-elle. Elle a consulté son médecin pour voir s'il n'y avait rien d'anormal et a dû insister pour que ce dernier prescrive des examens sanguins et radiologiques en vue d'éliminer toute anomalie physique chez son « petit garçon », comme elle aime l'appeler. En fait, son fils est physiquement petit pour son âge mais, les

examens médicaux l'ont montré, dans des limites normales. En s'inquiétant et en consultant comme elle le fait,
cette mère aime-t-elle trop son fils ou se comporte-t-elle
simplement comme une « bonne mère » ?

Aujourd'hui donc, beaucoup de mères se sentent coupables de montrer les signes de tendresse qu'elles ressentent au plus profond d'elles-mêmes. Elles craignent de
favoriser un « œdipe » trop fort. Une maman m'amenant
son adolescent en consultation pour des difficultés à
l'école me donna d'emblée l'explication qu'elle pensait être
à l'origine de ces problèmes : « Déjà, quand Antoine était
tout petit, le médecin m'a dit : "Votre fils fait un œdipe
trop fort !" Depuis, j'ai toujours eu peur de trop l'aimer. »
Certaines questions reviennent en boucle : « Si je passe
trop de temps avec lui, est-ce que je ne vais pas l'étouffer ? », « Je l'aime trop ! Est-ce qu'il ne risque pas de devenir homosexuel ? », « Si nos liens sont trop forts, est-ce
qu'il ne va pas chercher plus tard une femme qui me ressemble ? » Certes, l'œdipe existe, mais au nom de quoi
devrait-il engendrer une peur d'aimer ? Trop de femmes
craignent les stéréotypes sociaux ou, plus directement, les
reproches de leurs amies, de leur mari, de leur belle-mère,
du « psy ».

En les écoutant parler de leur fils, spontanément ou de
façon plus réfléchie, en les voyant agir, je ne peux m'empêcher de penser que l'amour maternel incarne un idéal de
l'amour. Quand elles évoquent la relation qui les unit à
leur garçon, les mères expriment souvent le sentiment d'un
lien unique, d'un amour immuable et intouchable. À la
question : « Existe-t-il un "homme" qui peut mener une
femme là où elle ne voudrait pas aller ? », la réponse

semble bien être : « Oui, son fils. » Et cet amour sans condition, constant tout au long de la vie, même dans les situations les plus difficiles, est souvent réciproque. Un homme se souviendra à jamais de sa mère, d'une robe qu'elle portait, d'une coiffure qu'elle avait, d'un parfum qu'il sentait, des baisers quand il la quittait : tous ses sens sont touchés. Réciproquement, une mère se souviendra toujours des regards de son fils, de son odeur bébé, de sa tendresse, de ses colères, de ses boutons d'acné…

On comprend que les mères ne soient pas toujours très à l'aise avec l'amour qu'elles éprouvent au fond de leur cœur. Une maman, engagée naguère dans un féminisme militant, me confia un jour : « Je n'osais même pas à l'époque m'avouer que je souhaitais un garçon ! » Serait-ce donc politiquement incorrect d'aimer son fils ? À la retenue qui, de tout temps, interdit des attitudes trop sexualisées avec son enfant et qui vaut pour la relation mère-fils comme pour la relation père-fille, semble s'ajouter ici une sorte d'interdit sentimental. Or, à mes yeux, c'est exactement le point de vue inverse qui doit prévaloir : les mères sont et restent fondamentales pour le développement heureux des garçons. Mamans de tous les pays, faites-vous donc confiance quand vous ressentez des sentiments attendris, passionnés et même subrepticement amoureux à l'égard de vos fils !

I

ON N'AIME JAMAIS
TROP SON FILS

Chapitre I

LES MÈRES ONT LE DROIT
D'AIMER LEUR FILS...

« Vous êtes trop fusionnelle... » Pendant plusieurs décennies, quoi qu'elles fassent, les mères étaient d'avance coupables. Les difficultés et les défauts de nos chères têtes blondes avaient naturellement une origine et une seule : les liens trop étroits qui unissaient les mères à leurs enfants et, en particulier, à leurs fils. Il y a les problèmes de sommeil ou d'appétit dans l'enfance ; plus tard, la peur d'aller à l'école, les comportements turbulents ou, au contraire, une excessive timidité ; enfin, à l'adolescence, l'incapacité à se prendre en charge ou les provocations habituelles à cet âge. Ce point de vue rapide a amené et continue d'amener beaucoup de mères à s'interroger sur le type d'amour qu'elles ont le droit de ressentir ou d'exprimer. La théorie psychanalytique, exportée hors la cure, « hors les murs » pour reprendre la formule de Jean Laplanche[1], a envahi le champ culturel et éducatif. À ce niveau, elle mérite plus qu'un examen critique.

« Attention à l'œdipe... »

Plus souvent formulée pour les mères vis-à-vis de leur fils que pour les pères vis-à-vis de leur fille, il y a d'abord cette menace. Combien de mères ne l'ont-elles pas entendue ! « Madame, si vous aimez votre fils comme cela, son œdipe sera trop lourd à porter ! »

Un vrai malentendu

Les femmes doivent-elles vraiment se sentir coupables de l'amour qu'elles ressentent à l'égard de leur fils et du désir, souvent intime, de les protéger contre les risques de la vie ?

» QUAND JE SERAI GRAND, JE ME MARIERAI AVEC MAMAN

Cette phrase, souvent entendue dans la bouche de nos chers bambins, révèle, du moins au moment où elle est exprimée, l'amour inconditionnel qui unit un fils à sa mère. Elle confirme ce que chacun sait désormais : si un petit garçon fantasme ainsi, c'est qu'entre lui et sa mère une relation d'une nature exceptionnelle, faite de charme, d'attrait, de séduction et d'amour, se développe chez l'enfant entre 3 et 7 ans. Ce désir de se marier avec maman ne paraît pas très inquiétant tant il est banal. Pourquoi, alors, évoquer un excès de tendresse maternelle au lieu de considérer que l'enfant témoigne par là de ce que sa mère a rempli sa fonction et son devoir : apprendre à son fils à aimer ? La gêne vient évidemment de la conception de la relation qui semble devoir unir deux personnes de sexe opposé. Entre une mère et son fils, il y a certes une relation de séduction, mais de séduction nécessaire. Il y a dans toute relation entre une mère et son enfant deux étapes fondamentales pour aider ce dernier à se développer : une séduction première, appelée « séduction originaire[2] », et une séduction seconde, aujourd'hui beaucoup mieux connue de chacun : l'œdipe.

» *NE PAS AVOIR PEUR D'ÊTRE BELLE POUR SON FILS*

Personne ne peut nier l'importance fondamentale que représente la rencontre entre un bébé et sa mère. Cette rencontre, toujours dissymétrique, l'est doublement quand l'enfant est un garçon, car à la dissymétrie adulte/enfant s'ajoute la dissymétrie masculin/féminin. À sa naissance, un bébé est ouvert sur le monde, mais incapable de s'aider lui-même parce que le développement de son organisme n'est pas achevé et qu'il ignore tout des dangers. L'adulte de référence, essentiellement la mère en l'occurrence, mais aussi, et à un moindre degré, le père, se sent spontanément poussé à établir une relation ouverte, vitale, qu'on peut qualifier de naturelle et de réciproque. Ce sont les soins attentifs et quasi constants prodigués par la mère qui sont l'occasion d'une séduction involontaire, désignée comme « séduction précoce » par Jean Laplanche qui écrit : « La séduction précoce, liée aux soins maternels, peut être dégagée des impasses où la conduisait la description

freudienne centrée sur l'éveil des sensations génitales. »
Ainsi, quand on parle de séduction entre la mère et son
enfant, il ne faut pas tout confondre. Il s'agit ici d'une attitude maternelle essentielle pour que le très jeune enfant se
sente aimé, et pour qu'il cherche à répondre aux « messages » que sa mère lui envoie. C'est de cette manière que
se construit le psychisme, et c'est pour cela que les mères
ne doivent pas avoir peur d'être belles pour leur fils, de le
séduire au sens où nous l'entendons ici. Il y va d'une
nécessité psychique, pour que le bébé aime sa mère et,
ainsi, pour qu'il s'ouvre au monde.

Le devenir de cette relation prendra des formes diverses
au gré de l'évolution de l'enfant. Cela passera par « Maman
est la plus belle », source inépuisable de comparaisons, de
compétitions et d'idéaux. Plus tard, l'enfant respectera
l'autorité de sa mère grâce, en partie, à cette séduction originaire, pour ne pas la décevoir. Plus tard encore, il se sentira en dette à son égard, sans doute inconsciemment,
pour lui avoir permis de se sentir aimé et admiré dès le
début.

» *L'ŒDIPE, C'EST L'ŒDIPE, CE N'EST PAS L'INCESTE*

Que n'a-t-on pas écrit, affirmé, répété et surtout déformé
à propos de ce fameux œdipe ! La seconde moitié du
XXe siècle a nourri la confusion en matière de conseils éducatifs par la déformation d'un certain nombre de concepts
psychanalytiques. Aujourd'hui, tout un chacun croit savoir
ce qu'il en est du complexe d'Œdipe. Rappelons tout de
même l'intuition de Freud : « J'ai trouvé en moi, comme
partout d'ailleurs, des sentiments d'amour envers ma
mère, et de jalousie envers mon père, sentiments qui sont,

je pense, communs à tous les jeunes enfants... » Évoquant alors *Œdipe-Roi*, la tragédie de Sophocle, Freud ajoute : « Chaque auditeur fut un jour en germe, en imagination, un Œdipe et, devant la réalisation de son rêve transposé dans la réalité, il frémit suivant toute la mesure du refoulement qui sépare son état infantile de son état actuel. » « Dans l'infantile... en germe... en imagination... et refoulé[3] ! » On mesure bien le degré de confusion entre la lecture freudienne de la vie psychique et la traduction qui en a été faite par la suite.

Le malentendu se situe au moins à deux niveaux. Une mère a le droit de prendre son fils dans ses bras, de le chatouiller, de l'embrasser avec amour et tendresse. En cela, elle ne commet aucun geste incestueux, c'est même le contraire. L'autre confusion peut se produire quand l'enfant prononce la phrase : « Quand je serai grand, je me marierai avec Maman. » Là, il y a l'occultation de la différence entre l'enfant et l'adulte. Évidemment, si une maman disait à son fils avec autant de certitude que le petit garçon y met : « Quand tu seras grand, je me marierai avec toi », on pourrait se demander si une telle phrase n'implique pas un comportement incestueux de la part de la mère. L'enfant, lui, introduit une distinction que l'on peut évidemment attribuer à son principe de réalité déjà bien affirmé, puisqu'il dit « quand je serai grand », c'est-à-dire plus tard, mais que l'on peut aussi expliquer plus subtilement : la rivalité avec le père est tenue sous silence.

Ce qu'on appelle le refoulement apparaît ici dans toute sa clarté. Maintenant ou plus tard, chez la mère comme chez l'enfant, ce n'est que dans les rêves que surgiront parfois des désirs incestueux. Certes, les deux champs, celui de l'œdipe et celui de l'inceste, ne sont pas sans rapport, et le non-dit ou l'implicite n'est pas un critère d'inexistence. À l'adolescence en particulier, ces désirs peuvent resurgir d'un côté comme de l'autre. C'est vrai que cette mère qui m'avait un jour confié qu'elle connaissait tout des relations amoureuses, sentimentales et sexuelles de son fils avait clairement suscité en moi une gêne. Mais est-ce une raison pour nier le fait que l'amour maternel assure la survie de l'enfant aussi bien physique que psychique, qu'il est le « socle d'un narcissisme de bon aloi », d'une curiosité et d'un commerce favorable avec le monde et les autres[4] ?

En vérité, l'œdipe témoigne de l'attachement entre une mère et son fils et constitue un point crucial dans la structuration du psychisme humain. La compréhension inexacte de ce concept psychanalytique a brouillé les cartes. Les facilités de langage, que se sont autorisés les psychanalystes eux-mêmes, ont favorisé cette confusion dans la mesure où certains ont parlé de désirs incestueux, voire d'inceste, sans préciser qu'il s'agissait de rendre compte rétrospectivement de fantasmes refoulés et inconscients ou de métaphores dans lesquelles la sexualité n'était pas à entendre au sens commun du terme.

En outre, tous les chercheurs et les cliniciens s'accordent aujourd'hui à reconnaître que Freud a sûrement trop systématisé le traumatisme d'une séduction, faisant de l'enfant un prématuré psychique, passif, soumis et même victime de l'amour de l'adulte. Or, *a contrario*, tous les travaux récents montrent combien un bébé, dès ses premiers jours, interagit avec le monde qui l'environne et en particulier avec sa mère, ce qui conduit à privilégier la piste de l'intersubjectivité plutôt que la sujétion.

Florilège d'idées fausses :
les préjugés concernant les mères et leurs fils

On comprend comment le glissement s'est opéré vers l'idée que l'amour des mères pouvait être dangereux pour l'équilibre psychologique de leur fils. Quoi qu'il en soit, le rôle excessif attribué aux mères sur le bien-être ou les difficultés des enfants et la passivité, implicitement déduite, de ces derniers est à l'origine d'une série de clichés sur les risques que l'amour maternel peut présenter pour les fils. Au fil des années s'est constituée une véritable liste des faiblesses futures qu'une telle attitude pouvait engendrer.

» *IL NE SERA JAMAIS UN HOMME*

Les femmes d'aujourd'hui revendiquent à juste titre l'égalité des sexes. Parmi elles, les mères des garçons souhaitent assurément que leurs fils ne deviennent pas les machos qu'elles dénoncent et qu'elles ont parfois connus. Elles n'en souhaitent pas moins qu'ils deviennent des hommes épanouis et bien dans leur peau. Leur suggérer que leur fils, si elles l'aiment trop, ne deviendra pas un homme, et par leur faute, les trouble très naturellement et ne fait que les culpabiliser. Or ma pratique professionnelle m'a amené à constater que les difficultés des garçons à devenir des hommes tenaient beaucoup plus souvent à l'absence réelle ou affective des pères qu'à un amour excessif des mères.

» À L'ÉCOLE, IL NE SAURA PAS SE DÉFENDRE

C'est une variante de l'idée précédente, qui renvoie elle aussi à l'image de la « poule mouillée ». Le fait de savoir se défendre en classe et en cours de récréation reste une « valeur » sûre de la masculinité d'un garçon. Une attitude de faiblesse à cet égard amène à une réaction toute faite : c'est la faute de sa mère ! À le couver trop, elle ne l'a pas habitué aux rudesses de la vie et, en particulier, aux agressions des autres enfants. Il ne faut pas réfléchir longtemps pour se rendre compte du caractère simpliste de cette explication. Les raisons pour lesquelles un enfant peut redouter les comportements parfois vigoureux des garçons entre eux et ne pas aimer les jeux chargés d'agressivité ou refuser la compétition pour posséder le ballon, la sacoche ou le crayon du voisin sont multiples. La timidité de l'un, la peur des conflits du deuxième ou les intérêts divergents du troisième ne se réduisent pas à une supposée trop grande proximité maternelle à l'égard de ces garçons.

» IL VA DEVENIR HOMOSEXUEL

Aujourd'hui, l'homosexualité d'un homme ou d'une femme ne suscite plus le rejet, la honte ou la moquerie comme par le passé. Il n'empêche, l'homosexualité d'un enfant demeure une crainte pour les parents, quelle que soit leur ouverture d'esprit. J'ai toujours perçu chez les garçons qui s'étaient sentis dès l'enfance, et plus encore à l'adolescence, attirés par un choix de vie homosexuelle, une gêne vis-à-vis de leur mère quant à ce choix. Ces dernières ont pourtant toujours mieux accepté, avec le temps, l'homosexualité de leur fils que les pères, faisant passer en premier le bonheur de leur enfant.

En revanche, même si les mentalités évoluent, l'idée qu'une mère qui aime trop son fils, le couve trop ou le protège trop le rendra homosexuel est une idée qui a vraiment fait son chemin dans l'esprit du plus grand nombre. Nous avons affaire ici à l'un des plus classiques et des plus inexacts stéréotypes, entretenus à dessein par quelques exemples illustres. La relation de l'auteur de *À la recherche du temps perdu* à sa mère, Jeanne Proust[5], décrite comme le seul but, la seule douceur, le seul amour, la seule consolation de sa vie est bien connue, tout comme celle de tel couturier ou tel grand décorateur contemporain. L'homosexualité d'un garçon s'expliquerait-elle par un lien trop fort avec la mère ? On peut en douter pour le moins. Des cas particuliers, aussi illustres soient-ils, n'ont jamais eu de valeur générale : corrélation ne veut pas dire causalité. Il est fort probable qu'un garçon habité par une identité féminine précoce entraîne chez sa mère une attitude différente de celle qu'elle aurait face à un garçon plus masculin. Pourquoi inverser systématiquement la causalité ?

> *» IL VA TOMBER SUR UNE FILLE*
> *QUI LE MÈNERA PAR LE BOUT DU NEZ*

Il y a des hommes qui se laissent dominer par les jeunes filles ou les jeunes femmes qu'ils rencontrent, comme il y a des hommes très dépendants des femmes avec lesquelles ils vivent. Est-ce, là aussi, la faute des mères qui les ont élevés ? Les femmes dominatrices existent, tout comme leurs pendants masculins, mais en tant que mères, elles sont souvent toutes différentes avec leurs fils. L'amour qu'elles leur portent semble équilibrer leur tendance autoritaire à l'égard des autres hommes...

» IL VA CHOISIR LE PORTRAIT DE SA MÈRE

Parmi ce florilège d'idées toutes faites, l'attachement jugé excessif d'une mère à son fils fait craindre parfois une impression trop forte, au sens photographique, dans l'esprit et le cœur de ce dernier, pouvant l'amener à ne reproduire que le même type de relation avec toutes les femmes qu'il pourrait rencontrer dans sa vie. Si, incontestablement, on peut parfois être amené, avec un certain sourire, à reconnaître dans l'épouse ou la compagne d'un ami certaines correspondances physiques et surtout certains traits de caractère de la mère, ce fait est à mon avis suffisamment répandu pour ne pas incriminer les seules mères. Vient-il confirmer la présence profonde et persistante tout au long de la vie de ce fameux œdipe infantile entre le garçon et sa mère ? Je me souviens des propos d'un psychanalyste, réputé dans les années 1980, qui avait, un jour, affirmé en public que le divorce lui paraissait la meilleure chose qui puisse arriver, car on recherchait toujours, dans une première union, l'image de sa mère (pour les garçons) et de son père pour les filles : ce n'était qu'après cette première expérience qu'on pouvait donc commencer à chercher librement un conjoint ! Aujourd'hui, se contenter d'invoquer ce fameux œdipe culpabilisant souvent les mères est insuffisant. Statistiquement, et même si tous les cas de figure se présentent, on tombe plus souvent amoureux d'une personne qui nous ressemble, fille ou garçon, en raison d'une sorte d'« attraction génétique naturelle[6] ». Les mères n'auraient donc pas toutes les responsabilités dans la manière dont elles ont élevé leur garçon tout au long de l'enfance. De toute façon, si une identification inconsciente se produit dans le psychisme du fils entre sa mère et la femme dont, ultérieurement, il va tomber amoureux, autant que sa mère soit une femme qui l'aime : tout le monde y gagnera !

» *IL RESTERA TOUJOURS UN ENFANT*

C'est le point de vue apparemment le plus logique : si une mère a trop d'influence ou de présence dans la vie et dans l'esprit de son fils, ce dernier risque de toujours rester quelque part un enfant. Mais comment sort-on de l'enfance ? Pour devenir un adulte capable d'affronter les décisions et les choix cruciaux de l'existence, ne faut-il pas faire ses « adieux à l'enfance », renoncer au paradis illusoire des premières années tant habitées par l'amour et la protection apaisante des parents et, en particulier, de la mère ? On comprend que l'attitude trop protectrice de certaines mères peut faire craindre la nostalgie de ce paradis perdu, mais n'en déduisons pas trop rapidement que cela interdit aux mères d'aimer leur fils comme elles l'entendent, c'est-à-dire le plus spontanément et le plus librement possible.

Les mères ont bien le droit d'aimer leurs enfants et en particulier leurs fils. Le leur interdirait-on qu'elles n'y arriveraient pas. Autant qu'elles le fassent sans culpabilité inutile et le plus souvent infondée.

Une histoire d'amour

Lors d'un sondage réalisé par mes soins auprès de mères ayant à la fois au moins un fils et une fille, la majorité des femmes interrogées m'ont répondu : « Avec ma (mes) fille(s), c'est depuis toujours un mélange de complicité et de rivalité ; avec mon (mes) fils, c'est autre chose, c'est plus fort. »

Questions : pourquoi les mères supportent chez leur fils ce qu'elles ne supporteraient jamais d'un homme ? Pourquoi les mamans disent-elles avec crainte mais aussi plaisir et fierté : « Il est tout le temps dans mes jupes » ? Pourquoi les garçons qui se disent heureux et suffisamment sûrs d'eux se disent fortement attachés à leur mère ? Pourquoi les fils élevés essentiellement par leur mère sont-ils aujourd'hui si souvent combatifs et réussissent-ils souvent si bien dans des domaines très différents : artistique, politique, économique, sportif ? Parce que, depuis leur mise au monde, leur mère, comme toutes les mères, non seulement les a propulsés vers la vie, mais a consacré à cette tâche tout son amour et toute son énergie. Qui était Olympia, la mère au destin tragique d'Alexandre le Grand ? Qui était Lætitia, la mère de ce petit général corse devenu empereur ? Qui était Amalia, la mère de Sigmund Freud qui découvrit le complexe d'Œdipe ? Qui était Rose Kennedy à qui on attribue la réussite de cette famille d'exception ?

De l'Antiquité à nos jours, chaque fils, lorsqu'il pense à sa mère, voit apparaître en imagination le visage d'une femme plus ou moins jeune, souriante ou inquiète, mais toujours prête à répondre à son appel ; il se désole d'un silence, médite son conseil ou se ressource assuré d'un infaillible soutien. Parfois, pour se défendre, certains se font une armure d'une distance affichée ou d'une rageuse absence. À l'adolescence, on n'embrasse plus Maman ou, si on le fait, on essaie d'ôter tous les signes de l'immense tendresse qui pourrait nous envahir. Mais un petit garçon épanoui dans les bras de sa mère émerveillée reste une des scènes les plus touchantes de l'histoire de l'humanité. Jusqu'au tombeau, elle accompagnera la vie et les fantasmes de l'un et de l'autre.

Une rencontre du « premier type »

Julien, un garçon de 7 ans, s'interrogeant sans doute sur ses propres origines, me demanda un jour : « Si au paradis terrestre Adam et Ève furent les premiers habitants, qui fut la mère d'Adam ? » Je ne sus pas lui répondre, mais je compris tout à coup que la croyance en un créateur unique, le Dieu des chrétiens, le père de l'humanité, n'était pas plausible pour ce petit garçon. Il lui manquait l'image de la seule créatrice possible : une mère.

La rencontre du « premier type » entre une femme et un homme met en présence une mère et un fils. Sans cette rencontre primordiale, il n'y aurait pas eu développement de l'humanité, il n'y aurait pas eu ces rencontres du deuxième type entre un homme et une femme appelés, à leur tour, à devenir un jour père et mère. Enfant ou adulte, on est prêt à être fasciné par les « rencontres du troisième type » que les extraterrestres et Steven Spielberg nous proposent, mais, revenant tout à coup sur terre, on se rassure en retrouvant ses origines les plus tendres : la première rencontre avec sa mère. Dans le film de Spielberg,

l'histoire est, du reste, construite autour de la recherche
par une mère, Jillian, de son fils Barry enlevé par un vais-
seau spatial...

La plus belle histoire de l'humanité

L'histoire de l'humanité est, elle aussi, une magnifique
illustration de la puissance des origines. Dans l'art
préhistorique, par exemple, où les figurines anthro-
pomorphes sont essentiellement féminines, la morphologie
des personnages représentés, qu'on date grossièrement de
l'orée du néolithique, rend hommage aux formes géné-
reuses suggérant une préoccupation pour la fécondité. Il y
a fort à parier, en revanche, que ces figurines étaient des-
sinées ou taillées par des hommes. Qu'il s'agisse des vieux
mythes du matriarcat méditerranéen ou de la croyance en
l'Immaculée Conception, inventée au XIIe siècle par un
théologien anglais de Canterbury et durement combattue
par Thomas d'Aquin, la mère a une double fonction
mythique : mettre au monde un fils à l'image d'un dieu et
servir d'intercesseur entre ce fils et les mystères du monde.
La relation mère-fils est marquée du sceau de l'amour et
de l'idéalité, nous en reparlerons ; elle est placée aussi sous
le signe du don. La psychanalyste Françoise Dolto écrivait
ainsi : « Vers l'adolescence, j'étais révoltée contre le culte
marial. J'ai même voulu devenir protestante à cause de
cela, mais j'ai rapidement pris conscience de ce que la
Vierge Marie représente comme mère : dans la totalité des
dons qu'une femme puisse avoir sans retour sur elle-
même, sans narcissisme[7]. »

L'histoire d'Égypte commence avec le règne d'Osiris, dieu-roi et homme. Osiris est présenté comme un homme d'une grande bonté et d'une sagesse infinie. Sa mission accomplie, il laisse Isis, sa compagne bien-aimée, monter sur le trône. Le sanctuaire de Philae, île sacrée de la déesse Isis, celle que Pierre Loti nomme la « perle d'Égypte », est situé là où se renouvelle le miracle annuel de l'inondation du Nil et, par conséquent, la renaissance de la vie. Mais l'histoire d'Isis ne s'arrête pas là. Par la force de son amour, elle réunit les membres épars de son époux, tué par son frère Seth, et ressuscite ainsi Osiris. Un fils, Horus, naîtra alors de leur union. Devenu adulte, Horus, après une lutte longue et incertaine, tuera l'usurpateur et reprendra l'œuvre de son père. L'histoire du peuple égyptien aurait-elle pu se développer sans la force d'Isis qui non seulement ressuscite son mari mais lui donne un fils qui le venge et poursuit sa mission ? On vit dans ce mythe que la femme est avant tout une mère, une mère qui donne naissance à un fils mais aussi qui permet à son mari de renaître. Combien de femmes, aujourd'hui, disent d'ailleurs qu'elles aiment leur fils, mais qu'elles ont aussi à s'occuper d'un autre enfant : leur mari...

» *LA MYTHOLOGIE GRECQUE*[8]

Chez les Grecs, la saga familiale est encore plus mouvementée. Kronos, sachant qu'il doit être détrôné par un de ses enfants, les engloutit systématiquement dès qu'ils naissent. Quand vient le tour de Zeus, Rhéa, l'épouse de Kronos, lui substitue une pierre enveloppée d'un lange.

Kronos ne s'aperçoit pas de la supercherie et c'est ainsi qu'échappe à la mort le roi suprême de l'Olympe, le père commun des hommes et des dieux.

Avant même que la Pythie n'annonce à Laïos que son fils Œdipe va le tuer et épouser sa femme, les liens entre les fils et leur mère sont donc vus comme des liens vitaux, excluant plus ou moins le père.

Autre histoire, prolongeant la première : celle de Zeus, de son épouse Héra et de leur fils légitime, Arès (Mars dans la mythologie latine). Ici, la mythologie grecque nous enseigne qu'un fils peut ressembler à sa mère ou qu'une mère peut très fortement déterminer le caractère de son fils. Arès, aimant le combat, animé d'une profonde férocité, représenté tantôt armé d'une longue lance dont il perce les plus épais boucliers, tantôt monté sur un char aux rênes d'or, disloquant les rangs serrés des combattants, est le digne héritier d'une mère qui manifestait son humeur querelleuse et fantasque en se plaisant à troubler la paix de l'atmosphère.

Mais la mythologie grecque nous apprend également que les garçons ont besoin très tôt de bouger, de manifester leur virilité et leur puissance. Combien de mères parlent avec une certaine fierté de leur fils comme d'« un vrai petit diable » ! À peine Apollon, fils de Léto et de Zeus, est-il né, que des déesses du ciel poussent un long cri d'allégresse. L'une d'elles, Thémis, déesse de la justice, descend de l'Olympe et offre au nouveau-né le nectar et l'ambroisie. Dès qu'Apollon a goûté au céleste breuvage, dans les langes vaporeux où sa mère l'a emmailloté, il ne peut contenir son impétuosité et âgé tout juste de quatre jours, le voilà qui tue le redoutable Dragon, caché dans une caverne du Parnasse.

De façon plus générale, tout n'est pas rose dans les relations mère-fils, loin s'en faut, et les représentations symboliques offrent deux visages opposés : celui de la mère généreuse, aimante, nourricière, porteuse de vie et de force, et celui de la mère violente, dévorante, porteuse de danger et même de mort. Qu'on se souvienne d'Euripide qui, dans la pièce *Les Bacchantes*, met en scène Agapè, la mère du roi Penthée, et la montre déchiquetant son fils pendant ses transes sacrées.

» *LA CULTURE CHRÉTIENNE*

Un des chants les plus beaux de l'Église catholique commence ainsi : « Chercher avec toi dans nos vies les pas de Dieu, Vierge Marie. » Ces premiers mots sont une très belle illustration du sens que peut prendre la relation mère-fils : pour tendre vers l'image idéale de l'homme, il faut passer par la mère. Ce n'est pas le père qui forge l'homme, même si son rôle est essentiel, c'est la mère. Si le rôle des pères et leur autorité sont heureusement de nouveau valorisés pour le développement des garçons, l'importance du lien mère-fils dans notre culture judéo-chrétienne demeure. À qui le cinéaste Paolo Pasolini confie-t-il d'ailleurs le rôle de la Vierge Marie dans son film *L'Évangile selon saint Matthieu* ? À sa propre mère !

Aucune autre époque de l'art et de la culture n'a donné autant de place à la relation mère-fils que la Renaissance italienne. Les multiples portraits de la Vierge Marie et de l'Enfant Jésus montrent la force de l'inspiration que suscite cette scène dans un monde profondément christianisé qui cherche à renouer avec l'humanisme de l'Antiquité gréco-latine. Qui n'a en mémoire le tableau de Botticelli,

La Madone du Magnificat (1480), qui représente Marie et son fils se tournant intensément l'un vers l'autre ? *La Vierge à l'Enfant* a inspiré d'autres grandes écoles de peinture comme les primitifs flamands et hollandais, mais on fait commencer de façon significative le fameux Cinquecento italien en 1501, date à laquelle Michel-Ange voit à Florence le carton de *La Vierge, l'Enfant Jésus et sainte Anne* de Léonard de Vinci : dans cette « *sacra conversazione* », peinte en 1510, l'intense tendresse entre une mère et son fils est magistralement figurée.

Un couple universel

La symbolisation de la maternité, en particulier des relations mère-fils, ne se limite pas à notre culture occidentale. Elle apparaît, par exemple, dans la peinture et la sculpture d'Afrique noire et apparaît sur de nombreux objets de la vie quotidienne (poulie, lance-pierre, peigne, coupe), sur des emblèmes de pouvoir (canne, tabouret) ou sur des objets du culte. Dans la société dogon, l'ancêtre féminin, statue symbolique, est représenté avec un enfant dans le dos, les mains sous les seins nourriciers, et cette statue est placée sous la garde des femmes.

Mais ce sont surtout la force et la diversité des statues de mère à l'enfant qui font la richesse de cette figuration dans des sociétés marquées par la longue durée de l'allaitement et la proximité des contacts physiques. Environ six cents statues de mère à l'enfant ont été recensées (souvent à plusieurs reprises, c'est vrai) dans les catalogues d'exposition et dans les livres sur l'art africain[9]. Elles permettent de voir selon les cultures le mode de vie, la place donnée à l'enfant et la relation à la mère. Les sculpteurs africains, contrairement aux peintres du Cinquecento, ne se proposent pas, surtout dans la sculpture traditionnelle, de représenter l'expression des sentiments maternels ou filiaux. Pourquoi cela, alors qu'il s'agit d'une culture où la proximité entre la mère et l'enfant est maximale au cours des deux-trois premières années de vie ? Parce que, en Afrique, la maternité n'est pas une affaire individuelle, elle est liée au principe général de la fécondité féminine, voire de la fertilité de la terre. Parfois, un détail vient attester de la force du lien. Dans certaines maternités bambara, le sculpteur donne ainsi aux mains maternelles saisissant fortement l'enfant une forme disproportionnée. Dans d'autres sculptures, le traitement de l'enfant est tout à fait surprenant. La profonde symbiose entre la mère et son enfant est ainsi suggérée chez le sculpteur camerounais Mambila par le fait que le nombril de la mère est masqué par celui de son enfant, évoquant ainsi le lien fondamental qui passe par le cordon ombilical. Si l'on regarde cette maternité de profil, le corps de l'enfant se confond avec celui de la mère. Dans d'autres ethnies encore, l'enfant est représenté sous les traits d'un jeune adolescent suçant le lait de la connaissance en raison de la longueur de l'initiation (vingt et un ans dans l'initiation « poro » des Senoufo). La variété infinie des formes et des postures de la mère et aussi de l'enfant marque le respect des canons socioculturels de l'ethnie en question. Est-ce vraiment différent des publicités contemporaines où l'enfant et sa mère manifestent un goût partagé pour telle ou telle marque de petits gâteaux ?

Un vœu comblé

Quand on annonce à une mère qu'elle attend un garçon, son visage s'illumine. Pourquoi ? Pourquoi cela apparaît-il comme un vœu qui se réalise ? Parce que la naissance d'un fils condense tous les fantasmes, conscients et inconscients, de la femme : être la fille chérie de son père à qui elle « offre », pour sa descendance, un autre lui-même ; être la femme de son mari à qui elle apporte, dans une union créatrice, un allié mais aussi un rival ; être la mère d'un garçon grâce auquel elle réalisera ce que, en tant que femme, elle n'a pas pu elle-même réaliser. Ce qu'elle n'a pas pu être pour son père, ce qu'elle ne peut pas exprimer facilement à son mari, ce qui lui a manqué à elle-même, tous ses manques et tous ses désirs sont ici comblés avec son fils. On comprend que la relation mère-fille ne puisse être vécue de la même façon et que, à la troisième ou quatrième naissance d'un garçon, une mère soit moins bouleversée, sans parler de la crainte de voir se renforcer un clan dont elle serait exclue, de la fatigue liée à l'« agitation masculine », ou encore de la déception de ne pas avoir de fille...

La perte d'un fils

Comment ne pas penser avec effroi à la douleur qu'éprouve une mère qui perd son fils ? Toutes les autres souffrances s'effacent devant le plus grand drame de toute l'histoire des mères. Je me souviens de cette mère qui voulait me parler, ne pouvant, disait-elle, le dire à personne d'autre, y compris à son mari, combien elle était saisie d'une totale incompréhension de la vie à la suite de la mort accidentelle de son fils. Elle voulait comprendre, cherchait à comprendre, mais tout son être semblait s'y refuser. Le deuil, pour une mère, d'un fils demande des années et des années, même si, peu à peu, beaucoup vont apparemment de mieux en mieux face au drame qui les a touchées dans leur chair. Laure Adler a très bien rendu cette souffrance : « Au moment de prendre le bain, j'ai enlevé ma montre, ma montre offerte par l'homme que j'aime et où l'artiste a inscrit sur le cadran, en demi-cercle, *À ce soir*. J'ai constaté que le cadran était totalement embué. On dit que la peur crée des sécrétions toxiques. *À ce soir* était comme effacé. La date, elle, était bien lisible.

Treize juillet. Dix-sept ans après la mort de Rémi.

Le texte qui suit s'est imposé à moi juste après. Il a surgi de la nuit... Je n'écris pas pour me souvenir. Je n'écris pas pour apaiser la douleur. Je sais que depuis dix-sept ans la douleur est et demeurera ma compagne[10]. »

Chapitre II

UNE RELATION
TRÈS PARTICULIÈRE

Un enfant, qu'il soit une fille ou un garçon, n'oubliera jamais sa mère. La vie pourra être source de moments de bonheur mais aussi de moments de conflits, de profonds désaccords ou de tristesse dans les liens qui unissent l'enfant devenu adulte à sa mère. Nous allons voir qu'il n'y a pas entre un enfant et sa mère d'amour sans rupture. Mais je voudrais ici présenter le témoignage qu'a écrit un collègue[1], à propos de sa relation à sa mère, certes une mère des années 1950, mais une mère telle que toutes les mères quelque part sont pour leur fils au-delà des aspects sociaux de l'époque, une mère qui permet de s'identifier au cours de sa vie à des personnages qui vous marqueront positivement dans votre existence. Ce témoignage sous forme de nouvelle, intitulée *Ma mère, la meilleure des maîtresses*, exprime mieux pour moi que tout commentaire les liens qui vont lier un fils à sa mère toute la vie.

Un lien pour la vie

« Quittant mon bureau et passant par le jardin pour regagner la maison, un spectacle tout nouveau me glaça et m'immobilisa : ma mère déambulait dans le jardin, appuyée sur une canne. C'était la première fois. Elle me tournait le dos, si bien que je pus, de longues minutes, regarder sa démarche hésitante et dans ces brefs instants, je revis le film de toute une vie.

Depuis quelques mois, nous sentions sa vitalité quelque peu altérée, des hésitations pour sortir et des déambulations de plus en plus réduites.

Mon épouse lui proposait, déjà depuis plusieurs mois, de prendre une canne mais était-ce la fierté, l'orgueil qui incitait cette Vendéenne pure souche à réfuter toute aide de cet acabit ?

Qu'est-ce qui avait pu la décider à franchir le pas ? En ces quelques minutes qui suffirent pour boucler le tour du parc, je revis quelques images phares de notre bout de vie commune.

L'amour et le respect des autres guident sa vie depuis toujours. Jamais, je ne l'ai vue enfreindre la liberté de ses semblables. Le plaisir de ses semblables, à commencer par celui de mon père puis le mien, a toujours dû être satisfait. Elle s'efface toujours devant les desiderata exprimés par les autres dans des mouvements d'égocentrisme total.

Plus jeune, je rageais parfois de l'observer dans une quasi-soumission, notamment lorsqu'elle mettait les chaussons aux pieds de mon père, à son retour de l'usine, après lui avoir ouvert sa bière qu'elle déversait délicatement dans « sa » chope légèrement inclinée.

Jamais elle n'exprimait le moindre souhait pour le week-end. Invariablement, nous nous retrouvions chez ma grand-mère à douze kilomètres, dans un café d'un autre temps, où les clients pouvaient arriver dès six heures et repartir vers vingt-trois heures… quand ils pouvaient repartir ! souvent déposés dans le fossé, à la porte, soit par mon père soit par ma grand-mère qui dirigeait ce monde d'assoiffés à la baguette.

Depuis, j'ai appris à connaître les Briérons, nos voisins, mais qui me paraissent hautement civilisés à côté de ces *huttiers* qui vivotaient aux marges du marais, moitié hommes, moitié bêtes.

Fils unique, je passais toutes mes vacances dans ce haut lieu sans aucun véritable camarade si ce n'est le fils du garde-barrière, grand intellectuel puisqu'il fréquentait le séminaire de Luçon. Mais c'est peut-être là qu'est né mon goût pour le vin et l'œnologie. Ma mère comprenait très vraisemblablement le côté médiocre de cette vie mais les faibles moyens financiers de notre famille ne nous permettaient pas d'envisager autre chose.

Les vacances de mon père se passaient immuablement à pêcher à la ligne dans la Vendée et ma mère tricotait à l'ombre, des gilets, pulls et autres tenues immettables, pour l'hiver. C'est sûr, dès la rentrée suivante, infailliblement, j'accrochais le regard de mes condisciples !

Mais ma mère, fière des économies effectuées sur le trousseau, ne manquait pas de m'offrir un beau cartable neuf. Je mis quelques années à comprendre qu'il s'agissait de magnifiques ouvrages d'art, conçus et réalisés par mon père lorsque je dormais. Il récupérait des chutes de cuir de la tannerie où il travaillait et mes parents étaient tout fiers de m'offrir ce cartable unique que tous les élèves enviaient. Pour eux, il était sûrement à l'origine de mes bons résultats scolaires car il renfermait tous les précieux documents qui me permettaient de bien travailler, d'être toujours en tête de classe.

C'était ma façon de remercier mes parents et principalement cette mère qui venait pleurer chaque année, à la remise des prix, et portait mes trophées. Les regards jaloux, mais aussi, parfois, des compliments sincères même s'ils étaient envieux, la remplissaient de joie mais jamais d'orgueil.

Elle qui avait dû quitter l'école à cinq ans pour aller vivre chez des fermiers qui allaient l'employer plus tard, pour ne pas dire l'exploiter, elle qui avait dû déchiffrer par elle-même l'alphabet, était fière de se réaliser à travers son seul et unique fils. Oui, je sais, ce n'est pas très français ; comme d'employer souvent le mot *fier*, mais que voulez-vous, je ne vois pas quel synonyme employer !

Quand nous rentrions dans notre village à douze kilomètres, sitôt la cérémonie des prix terminée, pas un mot échangé, mais des regards complices et ma mère se jetait déjà, à peine la voiture démarrée, dans la lecture de ces ouvrages primés, comme si elle voulait rattraper le temps perdu…

Ma mère, c'est cette femme qui accepte sans sourciller, à chaque fête des Mères, comme cadeau un nouveau jeu de gaules à pêche qui, bien sûr, ne serait utilisé que par mon père, le seul pêcheur de la famille. Peut-être que certaines années, un nouveau jeu d'aiguilles à tricoter et quelques pelotes de laine auraient pu être appréciés, peut-être !

Jamais je ne l'ai entendue émettre un avis, une opinion en opposition avec ceux de mon père. En grandissant, je commençais à lui proposer un tour de parole, lorsque mon père parlait. Elle en était toujours étonnée et me renvoyait que *papa avait sûrement raison.*

Pourtant, très vite, j'émis des doutes sur ce supposé savoir absolu. Mais comment affronter ce phénix, ce Pic de La Mirandole ? Ma mère trouva alors la parade et réussit ce tour de force de continuer à rester dans l'ombre et à commencer à faire naître ma parole. À chaque sentence émise par le maître des lieux, elle me renvoyait la balle en demi-volée : "Et toi, Jojo, qu'en penses-tu ?" "Et toi, Jojo, qu'aurais-tu fait à la place de papa ?"

Et hop, le tour était joué. Le fils existait mais la mère continuait à rester dans l'ombre. C'est vraisemblablement à cet instant que je reçus ma première leçon de psychothérapie.

J'eusse aimé que mes maîtres suivants fussent aussi brillants mais ce ne fut guère le cas, si ce n'est le couple qui vint réveiller la Vendée et *créer* la psychiatrie dans cette région… Comment peut-on rapprocher l'enseignement d'une mère de celui d'un couple de brillants analystes parisiens ?… Je retrouvais dans la fermeté exprimée au milieu du visage rond, débonnaire de M. H. l'expression de mon père, cette expression propre à ceux qui savent.

Je retrouvais dans le sourire éclatant, ravageur de Nicole H., le charme désarmant, la tranquille assurance de celle qui sait aussi, bien sûr, mais qui vous laisse émettre votre idée sans vous rabrouer, sans vous ridiculiser. À la prochaine prise de parole, ses encouragements nous signifiaient que nous étions sur la bonne voie, que nous pouvions continuer à espérer... espérer faire aussi bien qu'elle, qui sait ?, un jour.

Dans son attitude, je retrouvais celle de ma mère qui m'encourageait lorsque mes résultats défaillaient. Certes, c'était rare, mais d'autant plus frustrant et blessant. L'orgueil du gamin comme celui du futur thérapeute en pâtissaient. Mais l'amour d'une mère comme la chaleureuse et pressante attention de Nicole H. surent toujours me redonner confiance et me faire avancer.

Et aujourd'hui, cette mère, comme pour boucler sa mission, adore venir habiter chez moi, lorsque je suis en vacances, répondre au téléphone, prendre des rendez-vous. Que je l'appelle de n'importe quel coin du monde pour me rassurer sur son état de santé, ses premières phrases sont toujours les mêmes : "Mais pourquoi ça n'irait pas ? Tiens, au fait, Mme M. a téléphoné, elle ne va pas bien mais je lui ai conseillé de continuer son traitement. Je lui ai expliqué qu'il fallait supporter des petits malaises au début... J'ai bien fait, hein !"

Et voilà ! Comme toujours, le bonheur, la santé des autres passent avant les siens.

Jamais elle n'envisagerait de passer ses périodes de vacances ailleurs que chez son fils docteur. Elle continue ainsi son rôle de mère, de thérapeute. Son enseignement comme celui de M. et Mme H. durent toujours.

Les H. ont pris leur retraite, ô combien justifiée, il y a trois ou quatre ans, mais ma mère, à quatre-vingt-huit ans, continue à m'enseigner la vie. »

Un désir voilé

La différence la plus évidente entre la relation mère-fille et la relation mère-fils tient à la sexualisation précoce qui sous-tend potentiellement la seconde relation. Comme l'affirme fortement Béatrice Marbeau-Cleirens : « La mère est érotisée par l'enfant mâle en raison des sensations sexualisées que sa féminité éveille. N'est-elle pas aussi érotisante chaque jour par les soins corporels qu'elle lui prodigue, et le rythme physiologique féminin de son corps ? [...] Ce qui distingue particulièrement le bébé masculin du bébé féminin, c'est l'érotisation des rapports du garçon avec sa mère. Cette relation érotisée lui fait développer un attachement plus profond encore que celui de la fille pour cette mère nourricière et protectrice[2]. » Par-delà l'explicitation psychanalytique, des recherches en psychologie ont mis en évidence le fait que les mères n'auront pas les mêmes gestes avec leur garçon ou avec leur fille, et ce dès les premiers jours de vie du bébé. Lorsqu'elles allaitent par exemple, elles tiennent plus près de leur corps les garçons. De même, elles s'adaptent plus volontiers aux rythmes du corps, aux rythmes veille/sommeil et à l'expression des désirs des garçons que des filles.

Au-delà de ses comportements différents, le sexe du garçon suscite chez la mère un mélange d'admiration et d'étrangeté, alors qu'il y a identification aux sensations corporelles éprouvées par la petite fille. De toute évidence, il existe dès le départ une ébauche hétérosexuelle avec le garçon, même si la mère la refoule. Cette mère, à son insu érotisante, serait d'ailleurs pour certains psychanalystes une explication de la fameuse « fragilité » des garçons qu'attestent les études menées sur des cohortes d'enfants venus consulter pour un problème psychologique... Qu'il s'agisse du « sevrage », de l'arrivée de la nounou ou de l'entrée en crèche, garçons et filles souffrent pareillement d'avoir moins de contacts corporels avec leur mère, ils craignent la disparition de ces moments d'amour vécus dans les bras de leur « maman », mais le garçon appréhenderait, lui, en prime, d'être privé du plaisir « érotique » passif que lui procure sa mère par ses baisers et ses soins corporels intimes. Il y a sans doute bien d'autres raisons pour expliquer statistiquement la « fragilité » des garçons.

Une incroyable discrétion : Freud et sa mère

Le père de la psychanalyse, celui qui voua sa vie aux névroses, dans lesquelles il voyait des fixations inconscientes à des relations infantiles trop fortes, se montra étonnamment peu bavard sur son histoire avec Amalia, sa « mère chérie ». Il parla d'ailleurs plus volontiers des fantasmes de séduction de ses patientes par rapport à leur père que des fantasmes de séduction de ses patients par rapport à leur mère. Cela aurait-il par trop mis en lumière ses propres fantasmes ? On peut au moins se poser la question. Sur ce point, le « conquistador » de l'esprit que fut Freud reste bien le « livre ouvert mystérieusement fermé[3] » que décrit l'un de ses derniers biographes.

Depuis, étonnamment, les psychanalystes ont préféré laisser dans l'ombre les relations de Freud et de sa mère. Seul, en France, Alain de Mijolla[4] en a rappelé les principaux aspects, mais, à ma connaissance, il n'existe qu'un livre, celui de la psychanalyste américaine Deborah

Margolis[5], qui soit consacré tout entier à ce sujet. La thèse défendue dans l'ouvrage est qu'Amalia était très fière de son fils et qu'elle projetait sur lui un investissement narcissique puissant. En retour, Sigmund aurait totalement refoulé l'agressivité qu'il pouvait ressentir à son égard ainsi que ses pulsions prégénitales. Il n'aurait retenu que le côté positif du fameux lien œdipien entre un fils et sa mère : « L'enfant au sein de la mère, écrit-il d'ailleurs, est le prototype de toute relation amoureuse. Trouver l'objet sexuel n'est, en somme, que le retrouver. » Ailleurs, Freud parle d'une mère chérie qui lui apprend à lire, à écrire et, évidemment, de ses premières émotions sexuelles : « J'ai découvert aussi que, plus tard (entre deux ans et deux ans et demi), ma libido s'était réveillée et tournée vers ma *matrem*, cela à l'occasion d'un voyage de Leipzig à Vienne que je fis avec elle et au cours duquel je pus la voir *nudam*. » Nombreux sont ceux qui ont souligné l'utilisation du latin pour « mère » et « nue », et y ont vu une expression de pudeur.

On ne peut nier que la soif d'écouter, de voir, d'apprendre et de comprendre chez Freud soit étroitement liée à sa relation à sa mère. En revanche, Amalia est décrite par Martin, son petit-fils, comme une « tornade », pas facile à vivre, impatiente, et par sa petite-fille, Julie Bernays Heller, qui vécut de nombreuses années à ses côtés, comme une femme « capricieuse et énergique, dotée d'une volonté de fer, déterminée à obtenir ce qu'elle voulait dans les petites et les grandes choses [...], efficace, compétente et égocentrique [...], un tyran et un tyran égoïste[6] ». En contrepoint, le père de Freud, de vingt ans plus vieux que sa jeune épouse, est présenté comme un homme débonnaire et Freud, enfant, s'interrogera imaginairement

sur les relations que ce « vert patriarche », âgé de 41 ans à
sa naissance, pouvait avoir avec sa belle et jeune mère qui
l'avait mis au monde à 21 ans.

Toucher n'est plus jouer

Une mère me confia amicalement un jour : « Je ne peux
plus embrasser sur la bouche mon fils, ça le gêne. » Je lui
rétorquai : « J'espère que tu comprends. » Elle acquiesça.
Le contact entre une mère et un fils ou entre un père et une
fille devient à un certain moment sérieux. Toucher n'est
plus jouer. À quel moment ? me demanderez-vous. À quel
moment une mère doit-elle contenir son amour qui est
généralement pour elle sans ambiguïté ? Dès qu'elle ressent
une gêne chez son enfant ; elle ne doit pas alors insister.

Le toucher est fondateur dans la vie relationnelle de tout
être humain, mais il ne l'est que s'il se trouve, à un
moment, interdit. « Ne touche pas, tu pourrais te faire
mal... » « Ne touche pas, tu pourrais faire mal » : en disant
cela, une mère signifie ainsi à son fils qu'il y a toucher et
toucher. Si l'interdit du toucher concerne d'abord, prosaïquement, le risque de se blesser, de se brûler ou de se cou-
per, il renvoie, au-delà et symboliquement, à deux interdits
fondamentaux : le meurtre et l'inceste, et vise, dans les
deux cas, à prévenir la « démesure de l'excitation et sa
conséquence, le débordement de la pulsion[7] ». Lorsque le
toucher perce le cœur des frontières symboliques et de leur
sublimation, la transgression débouche sur des passages à
l'acte où la tendresse, cette tendresse qui, pour les psychanalystes, vient heureusement recouvrir de son voile les
vœux incestueux inconscients, s'absente.

Il en va évidemment de même dans les relations père-
fille, avec une différence de taille. Dans cette dernière
relation, c'est souvent le père qui, le premier, est gêné par
la séduction que sa fille exerce sur lui quand elle devient
une adolescente avec des formes, plus précoces et plus
apparentes que chez le garçon, qui attestent de sa féminité. Sa spontanéité à l'égard de son enfant s'en trouve
beaucoup plus retenue que la spontanéité des mères à
l'égard de leur fils, et c'est toute la différence homme/
femme concernant l'équilibre entre le courant tendre et le
courant sexuel qu'on retrouve ici. J'ai souvent entendu
des adolescentes ou des jeunes femmes me parler de la
gêne qu'elles avaient ressentie par rapport au regard de
leur père. Je n'ai jamais entendu cela dans la bouche d'un
garçon ; j'ai plutôt reçu des mères qui étaient gênées par
le regard que leur fils, devenu adolescent, portait sur
elles.

Les secrets

Un fils partage-t-il plus ses secrets avec son père qu'avec
sa mère ? Pendant l'enfance, et même l'adolescence,
sûrement pas. De même pour la fille, d'ailleurs, qui préfé-
rera toujours se livrer à sa mère. À partir de la fin de l'adolescence, le garçon pourra parfois se tourner vers son père,
mais, de façon générale, il se confiera de moins en moins
à ses parents. Certes, un garçon sera avec sa mère moins
disert qu'une fille sur ce qu'il considère comme intime,
blessant ou tabou, mais, en fin de compte, quel que soit le
sexe de l'enfant, la confidente est le plus souvent la même
et elle le reste.

Que nous soyons enfants, adolescents ou adultes, garçons ou filles, hommes ou femmes, le secret affecte notre vie intime, affective, familiale. « Être dans le secret des dieux » ou être détenteur d'un secret d'État : le secret implique silence, culpabilité, pouvoir, mais aussi complicité et délivrance autour de son partage. Le non-dit qui en découle prend un sens en fonction de la valeur que chacun donne au secret qu'il recouvre. Le secret garantit notre autonomie psychique et affirme notre liberté personnelle. Nous possédons tous un espace intime, inviolable, qui doit être préservé du regard d'autrui. Il existe ainsi une fonction positive du secret. Chaque être humain et chaque communauté ont le droit de disposer d'une zone de secret intime, condition de leur vie et de leur épanouissement. Le secret devient douloureux et source de mal-être lorsque des faits concernant directement une personne, une famille ou un groupe plus important, leur sont délibérément cachés.

Il s'agit ici souvent, au cours de l'enfance, d'un jeu (« Maman, j'ai un secret... ») ou de petits mensonges, de petites transgressions qui deviennent des secrets « trop lourds » à garder ; à l'adolescence, de tout ce qui touche à la sexualité, celle-ci étant régie dans toutes les sociétés par des interdits touchant à la vie sexuelle et à son intimité. Lorsque le secret est important, il n'est jamais confié sans émotion.

Que dire, à qui et à quel moment ? L'enfant n'a pas spontanément le goût du secret, cela vient avec l'âge. Enfant, la mère est incontestablement la meilleure confidente pour l'enfant, plus tard le ou la meilleure amie s'y substituera, partiellement, en fait. Mais toute mère doit savoir que même lorsque le secret paraît bien modeste, faire confidence d'un secret, c'est se confier, faire confiance ; c'est aussi se mettre à la merci d'autrui. Ce qui est dit ne peut plus être repris. C'est la raison pour laquelle le sujet se sent trahi si son secret est divulgué. La mère qui détient un secret de la bouche de son fils et le révèle sans son accord fait un acte de violence.

Mais les secrets peuvent aussi venir des adultes. De nombreux psychologues ou psychanalystes ont proposé des concepts qui parlent d'eux-mêmes : celui de crypte (enterrement d'un vécu inavouable), de fantôme trans-générationnel (secret de famille transmis involontairement d'une génération à l'autre), ou encore de maladie du deuil (deuil impossible d'un être chéri). L'enfant, et notamment le garçon, peut en être la victime.

On a beaucoup parlé du secret des origines qui a conduit à l'idée naïve qu'il faut et qu'il suffit de tout dire, le plus tôt possible, à l'enfant. Certes, un jour ou l'autre, inévitablement, l'enfant concerné découvrira ce secret, il sera toujours en colère contre des parents qui lui auront caché la vérité. Mais il y a la bonne manière et le bon moment. La manière et le temps sont de pouvoir lever pour l'enfant le secret de ses origines à un moment où on peut prendre son temps pour pouvoir répondre calmement à toutes ses questions. Ici la mère joue un rôle fondamental. Le non-dit se pose pour l'enfant dont l'un ou les deux parents légaux ne sont pas les parents biologiques, c'est-à-dire l'enfant adopté, l'enfant né par assistance médicale à la procréation (insémination artificielle avec donneur, don d'ovule, mère porteuse – ce qui est interdit en France – et tout ce qu'on inventera…), l'enfant reconnu par un parent qui n'est pas le parent biologique, à son insu ou le sachant, l'enfant dont la mère a accouché sous X, l'enfant né d'un inceste, etc. Il y a tout un mouvement, à l'heure actuelle, en faveur du droit à la connaissance des origines. Un article de la Convention internationale des droits de l'enfant, adoptée le 20 novembre 1989, précise que l'enfant a, « dans la mesure du possible, le droit de connaître ses parents et d'être élevé par eux » (article 7, alinéa 1). Certains limitent l'interprétation de « dans la mesure du possible » à un possible technique, d'autres pensent qu'il faut aussi considérer un possible psychologique. On invite les parents adoptifs à élever leurs enfants dans la connaissance de leur adoption. Mais le sens d'« adoption » prend des valeurs différentes pour l'enfant, au fur et à mesure qu'il grandit. Et les parents ne peuvent pas en dire plus que ce qu'ils savent. On touche ici une fibre sensible, le succès de *Sans famille* le prouve. Mais on ne parle pas des autres. On ne dit pas que le nombre d'adoptés qui veulent retrouver à tout prix leurs parents biologiques est très petit par rapport à l'ensemble des adoptés, même si la plupart des enfants, surtout à l'adolescence, en émettent le désir.

Les mille visages de l'amour maternel[*]

La relation entre une mère et un fils est unique et, comme le pensait Freud, « fondée sur le narcissisme, qu'aucune rivalité ultérieure ne vient déranger ». Les aspects culturels sont évidemment à prendre en compte. Dans ce qui, pour

---

[*] Pour déterminer le type de mère que vous êtes, reportez-vous au test figurant en fin d'ouvrage.

beaucoup, est considéré comme un paradis terrestre, les Seychelles, nombre d'enfants ne connaissent pas leur père. Le fils et particulièrement le fils aîné est souvent « l'homme de la vie de sa mère », en compétition avec des beaux-pères successifs. Il peut aussi être une sorte de bouc émissaire, celui sur lequel la mère se venge des frustrations et des déceptions infligées par le père.

Comme toujours, les cultures « primitives » nous en apprennent autant que de longues recherches socio-logiques sur nos mœurs contemporaines. Dans la culture seychelloise, dans le cinéma contemporain, dans la vie, les mères peuvent être pour leur fils, tout à la fois ou selon la dominante de chacune, sublimes et bienveillantes, amou-reuses et passionnées, féroces et protectrices, possessives et castratrices, et même craintives et lointaines.

Mais si l'amour maternel peut prendre mille visages, j'ai rencontré aussi dans ma vie personnelle et surtout ma pra-tique professionnelle quelques figures emblématiques.

Mère heureuse et bienveillante

Avez-vous observé une mère accompagnant son fils au train ou à l'aéroport quand elle va en être séparée pour quelques jours ou quelques semaines ? Avez-vous observé la même mère quand revient son « chérubin » ? Dans la première situation, la mère heureuse et bienveillante fait face, elle sourit, l'embrasse une fois s'il ne se montre pas trop réticent. Elle manifeste sa joie de le voir heureux de partir ou le rassure s'il semble inquiet. Devant ses amis, elle ne le couvre pas de baisers ou ne l'assomme pas de recommandations à haute voix. Elle contrôle attenti-

vement mais discrètement s'il n'a rien oublié. Elle lui
indique les endroits où il pourra retrouver ce qu'il cherche
quand il sera seul. Au retour, même si elle est en avance,
elle reste calme devant les autres parents, surtout les plus
agités qui communiquent à leur insu l'angoisse qui les
habite. Au fond d'elle-même, cette mère se dit : « Je vais le
retrouver, là, en chair et en os, quel bonheur ! » Elle se
demande si tout s'est bien passé : aura-t-il changé ?
Comment sera-t-il habillé ? Elle peut en parler à son mari
s'il l'accompagne, mais elle évitera de se montrer trop
« mère poule ». Quand elle aperçoit son fils, un grand sourire éclaire son visage, mais elle ne se précipite pas pour le
prendre dans ses bras. Elle le laisse s'approcher et choisir
la proximité qui lui convient pour les échanges physiques.
Elle l'aide à porter ses affaires, lui demande si tout va bien,
mais ne le noie pas sous un flot de questions auxquelles il
peut à peine répondre. Cette mère sait et accepte qu'il y a
ce qu'il raconte et ce qu'il ne raconte pas. « Cela viendra
plus tard », se dit-elle. C'est cela le bonheur d'avoir un fils :
le retrouver, sans oser se dire qu'un jour cela pourrait ne
plus se reproduire.

Mère amoureuse et passionnée

Ces deux situations, la séparation et les retrouvailles, sont
très caractéristiques de l'amour maternel. Reprenons-les
donc pour la mère amoureuse et passionnée. Celle-ci dira
au départ à son fils : « Tu seras toujours l'amour de ma vie,
tu es le plus beau, tous les jours, je vais rêver de toi. » Elle
étreint son fils avec l'enthousiasme et l'amour d'une
amante. Elle ressent, et lui aussi, une certaine ambiguïté

dans cette étreinte, mais elle ne peut s'en empêcher, et puis, la situation était exceptionnelle, songe-t-elle rétrospectivement. Toute ambiguïté est alors levée. Quelques jours plus tard, quand le train est sur le point d'entrer en gare, ses pensées sont à nouveau dominées par cet amour passionnel : « Quelle richesse d'avoir un fils, quel cadeau d'attendre son petit garçon, quel bonheur d'avoir cet enfant-là ! » Il apparaît et c'est un éblouissement. Il est encore plus beau, plus grand, plus assuré qu'avant de partir.

Mère protectrice et féroce

Une mère peut être protectrice et féroce pour de multiples raisons. Elle peut craindre, à juste titre, la mauvaise influence d'un tiers : le père, sa propre mère, un copain ou un groupe malsain, un enseignant maladroit, etc. Les circonstances de la vie peuvent aussi susciter ce type d'attitude.

> Quand Jérôme perdit son père à l'âge de 8 ans, Marianne, sa mère, dut élever seule ses deux enfants, son petit garçon et sa grande fille de 13 ans, Julie. Cette dernière, ressemblant incontestablement à son père, forte de caractère, autonome, réussissant bien à l'école, entra en très vive rivalité avec sa mère, y compris à propos de l'éducation de Jérôme, soutenue en cela par les grands-parents paternels. La personnalité, la présence et la réussite scolaire de Julie écrasaient le petit frère. Marianne, sans doute à cause de sa relation complexe avec sa fille et les parents de son mari, mais aussi pour protéger son jeune fils chez qui elle retrouvait le caractère sensible de son propre frère, ressentit le besoin de protéger férocement « son garçon » contre l'autorité de sa sœur et de ses beaux-parents. Elle était tout à fait consciente de son attitude et, rétrospectivement, elle ne la regretta

pas, même si, par moments, elle douta fortement d'elle-même. Jérôme, élève moyen et rêveur, fut ainsi tenu à bout de bras scolairement et affectivement par cette mère qui l'amena au baccalauréat avec beaucoup de difficultés et lui permit de s'engager dans la vie d'étudiant et de jeune adulte sans souffrir excessivement des événements de la vie qui auraient pu en faire un homme blessé et peu sûr de lui.

Mère possessive et castratrice

Dans le fameux diptyque d'Yves Robert et de Jean-Loup Dabadie, *Un éléphant ça trompe énormément* et *Nous irons tous au paradis*, l'affrontement, merveilleusement bien observé, entre Guy Bedos et Marthe Villalonga fait sourire ou, parfois, rire à gorge déployée. Guy Bedos joue le rôle d'un médecin que sa mère interrompt au cours de ses consultations pour lui parler de ses problèmes personnels, de sa propre santé ou le traiter de fils indigne s'il ne s'occupe pas d'elle ou lui fait remarquer qu'il est en train de travailler. Le personnage laisse voir, sous une forme caricaturale et humoristique, combien il a du mal à s'opposer à cette mère envahissante, mais aussi combien, dans la vie, il a du mal à s'affirmer.

Un ami me racontait qu'adolescent, ne voulant pas affronter sa mère en raison de son caractère excessivement fort et autoritaire, il sortait en cachette de chez lui. Jusqu'au jour où il fut découvert... Rentrant d'une soirée avec des amis, alors qu'il aurait dû être chez lui, il avait assisté à un accident de voiture, porté immédiatement secours aux occupants et alerté la police. Mineur, les policiers lui demandèrent son témoignage et téléphonèrent à ses parents pour les avertir que leur fils témoignait pour un accident. La mère répondit aux policiers que c'était impossible puisque son fils était dans son lit… Un quiproquo de quelques instants s'ensuivit avant que la mère, énervée, n'aille constater de ses propres yeux la réalité de la fugue nocturne. Lorsque mon ami rentra chez lui, évidemment, il appréhendait l'accueil qu'on allait lui réserver, mais sa mère, contre toute attente, le félicita. Il avait bien fait, il s'était bien comporté, il avait sans aucun doute sauvé des vies humaines. Il fallait juste qu'il lui fasse une promesse : à l'avenir il ne sortirait plus jamais sans la prévenir. Un accident était si vite arrivé, il en savait quelque chose maintenant… Il ne chercha pas à lui faire comprendre que maintenant, à bientôt 18 ans, étant généralement un garçon raisonnable, elle pouvait lui faire confiance. À nouveau, il évita l'affrontement et continua à sortir sans le lui dire.

Une mère possessive et castratrice manifestera bruyamment la souffrance qu'elle ressent de voir s'échapper son fils. Tout dans son attitude est là pour signifier que son fils ne peut se passer d'elle, elle le dit d'ailleurs ouvertement : « Un garçon, ce n'est pas débrouillard comme une fille ! » Peut-elle l'appeler au téléphone autant qu'elle le souhaite ? Peut-il, lui, la joindre s'il a un problème ? Comment va-t-il faire pour ses vêtements, son linge sale, ses chaussettes ? Les deux seules portes de sortie pour l'enfant sont alors la fuite ou le rire. S'il part pour quelques jours, une pensée obsédante la taraude : « Ai-je bien fait de le laisser partir ? Je n'aurais jamais dû, il est encore trop jeune, et puis ce n'est pas un endroit pour lui. » Le désir de l'entendre surgit plusieurs fois par jour. « Pourquoi m'interdit-on de l'appeler matin et soir, c'est normal pour une mère ! » Le jour précédant son retour, la mère possessive et castratrice ne tient plus en place. L'attente lui rappelle celle de son accouchement, faite d'angoisse, de désir et d'excitation irraisonnée. Elle se connaît ; elle est dans un tel état qu'elle est capable d'actes manqués : arriver en retard, par exemple, à la gare. Mais non, elle est là. Et lui, comment sera-t-il ? Va-t-il revenir exactement comme il est parti ? La fréquentation des autres n'aura-t-elle pas déteint sur lui ? Et si le train était en retard ? C'est incroyable, il n'y a jamais personne pour vous renseigner. Enfin, le train arrive. À chaque nouveau visage croisé, qui n'est pas celui de l'être adoré, le calvaire s'amplifie : « Et s'il lui était arrivé quelque chose ? » Puis tout à coup, c'est lui, il est là ! L'émotion l'envahit, les pleurs inondent ses joues, mais le premier mot qu'il prononce est : « Maman. » Ouf !

Mère craintive et distante

On connaît l'immense talent de Visconti et sa finesse psychologique quand il s'agit de dépeindre des comportements humains universels. Dans *Mort à Venise*, il y a ainsi un très beau portrait de mère craintive et distante. Cette attitude, le plus souvent défensive, peut sembler étrange de l'extérieur. À ma question : « Pensez-vous à votre fils quand il n'est pas là ? », une mère de ce type me répondit : « J'essaie de me rappeler sa tête quand vous m'en parlez, là, mais spontanément je n'y arrive pas. Je ne me sens pas maternelle et, pourtant, très loin, au fond de moi, je sais qu'il compte beaucoup. » Elle ajouta avec un accent de sincérité et de tristesse : « Je ne sais pas, en fait, si je l'aime pour lui ou pour moi... » Les mères d'apparence lointaine, y compris pour leur fils, sont souvent anxieuses et parfois même dépressives. Leur malheur interne les occupe parfois trop pour qu'elles puissent laisser libre cours à la tendresse et à l'amour qu'elles ressentent pour leur enfant. Certaines mères, pour des raisons souvent profondes et complexes, peuvent être beaucoup plus mal à l'aise avec un fils qu'avec une fille.

Il y a donc de multiples façons d'être mère mais, sans tomber dans le « culte de la maternité », être mère ce n'est pas un statut, c'est un cadeau de la vie[8].

Chapitre III

IL N'Y A PAS D'AMOUR
SANS RUPTURE

Comment croire, devant le spectacle de l'énergie infatigable que déploie un enfant pour découvrir le monde, que son plus cher désir soit de rester collé à sa mère ou même de retourner dans le ventre maternel ? Pourquoi ne voit-on dans la distance que prend l'enfant vis-à-vis de sa mère que le résultat de l'action du père ? Certes, on peut considérer que le plus grand danger pour le développement humain réside dans la symbiose entre une mère et son fils, mais, à négliger ce qui est de l'ordre du développement normal, de l'imprévu des rencontres humaines, à ne pas vouloir envisager que les mères puissent elles-mêmes saisir la nécessité que leur fils se « sépare » d'elle, le point de vue psychanalytique s'est montré parfois trop réducteur.

Les petites phrases

Jean d'Ormesson, ayant un jour été chargé d'évoquer le thème de la rupture, écrivit : « J'hésitais un peu entre une rupture ou l'autre (Aliénor d'Aquitaine et Louis VII, Musset et George Sand, Flaubert et Louise Colet, etc.), lorsque l'idée me vint soudain qu'une rupture décisive était intervenue dans ma vie comme dans celle de beaucoup d'autres... et qu'elle m'avait bouleversé plus qu'aucune autre : c'était la mort de ma mère. Elle me paraissait résumer toute la misère de ce monde. Longtemps ma mère avait été là. Elle m'aimait avec une partialité scandaleuse et elle me pardonnait sans se lasser mes erreurs, mes fautes, mes folies. Il ne pouvait rien m'arriver puisqu'elle était là pour m'aimer[1]. »

Toutefois cette rupture radicale est précédée elle-même, à différents moments de la vie, d'autres ruptures moins brutales mais nécessaires, quand le garçon sent le besoin de sortir des jupes de sa mère pour devenir un petit garçon, puis un adolescent et enfin, un homme. Plus il est attaché profondément à sa mère, et plus les étapes qui marquent cette prise de distance risquent paradoxalement d'être conflictuelles. Même si l'on est amateur de jazz, on ne peut souhaiter à personne de connaître le sort de Thelonious Monk dont les troubles psychiques furent importants et qui resta toute sa vie, même marié, dans l'appartement de New York où il était arrivé enfant avec sa mère.

Certes, un jeune enfant supporte mal de voir sa mère s'éloigner quand elle le dépose à la crèche ou à l'école. C'est la fameuse angoisse de séparation, naturelle et normale entre 1 an et demi et 3-4 ans. Cette crainte de voir sa mère s'éloigner et encore plus disparaître persistera de façon plus ou moins latente tout au long de la vie. Le héros de À *la recherche du temps perdu*, en voyage à Venise avec sa mère à laquelle le lie un attachement fusionnel, se surprend ainsi, à l'approche du départ maternel, à ne plus voir dans les palais qu'il a tant admirés que des « parties et quantités » de marbre, et l'eau des canaux, si belle en d'autres moments, ne lui apparaît désormais que « comme une combinaison d'azote et d'hydrogène ». La perspective de l'éloignement de sa mère transforme sa vision du monde, l'assombrit, la disloque. Au même moment, pourtant, le narrateur se laisse capter par la voix d'un chanteur sur une barque qui passe. Et le voilà en train de se projeter dans la mélodie et de se confondre avec le chant...

« *Je ne suis plus un bébé !* »

Grandir est symboliquement un acte agressif, car grandir signifie prendre la place de quelqu'un. À plus ou moins brève échéance, une nouvelle classe d'âge prend la place de la classe d'âge précédente. Donald Winnicott, le psychanalyste anglais, a fort bien décrit ce mouvement conquérant. À la base de tout développement, en particulier au moment de l'adolescence, il y a un meurtre, le meurtre des parents, « meurtre » symbolique qui met à mal des images parentales intériorisées issues de l'enfance, c'est-à-dire les représentations que l'enfant se faisait de ses parents.

Cela explique la transformation assez soudaine des rapports entre parents et enfants à l'adolescence. La présence des parents était pour le jeune enfant source de réconfort, de quiétude, de sécurité ; à l'adolescence, cette même pré-

sence devient source de tension, de malaise. Si la proximité des parents est pour l'enfant un facteur d'apaisement,
elle est pour l'adolescent un foyer d'excitation. Ce renverse-
ment de perspective est fondamental. Il explique en grande
partie le nécessaire remaniement des relations et le besoin
de « séparation » à l'adolescence.

La majorité des mères sont satisfaites de voir leur enfant
prendre son autonomie, même si, dans le même temps,
elles se sentent abandonnées, délaissées, oubliées, elles qui
ont tout fait pour le bien-être de leur fils. Le résultat de ces
divers mouvements psychologiques de part et d'autre
explique les difficultés bien connues du dialogue. Ce dialogue est nécessaire, mais rarement détendu. Si le jeune
demande à être entendu et compris, il craint tout autant
d'être dévoilé, percé à jour. D'où ses oscillations rapides,
parfois incompréhensibles, et ses revirements d'opinion.
Cela plonge les mères, mais aussi les pères, dans l'embarras, la perplexité et même l'énervement.

L'adolescence est l'une des ruptures les plus délicates
dans les relations mère-fils. Le garçon doit s'acquitter d'une
tâche difficile : dire adieu à son enfance. Aux modifications
physiologiques pubertaires s'ajoute un autre grand changement : parvenir à se détacher et même à se désengager de
comportements, de modes de relations, de plaisirs et de
projets construits, élaborés et vécus en commun avec les
parents. Il s'agit d'une véritable perte des « objets infantiles » où la perte du refuge maternel, et plus largement
parental, n'est pas voulue mais subie et, de toute façon, ressentie par l'intéressé lui-même comme nécessaire. Ces
« adieux à l'enfance » sont bien évidemment progressifs et
ne sont jamais complets, car chacun garde toute sa vie des
liens importants avec ce qu'a été son enfance sous forme de

souvenirs, d'attitudes, de traits de caractère ou de centres d'intérêt. Il n'empêche, ces adieux à l'enfance sont nécessaires pour que le garçon se constitue sa personnalité propre et s'individualise par rapport à ses proches et en particulier sa mère. Celle-ci, comme le père, aura en retour à fournir la preuve qu'elle ne souhaite pas maintenir son fils devenu adolescent dans un état d'enfance sans fin, mais sans oublier que ce grand garçon a encore besoin d'être orienté, conseillé, parfois dirigé et surtout pas abandonné.

Quelles que soient les cultures ou les époques, le passage qu'est l'adolescence s'associe toujours à la mise en scène d'une séparation. On repère le plus souvent trois étapes traversées collectivement par le groupe des « initiés » : séparation du groupe familial ; mort symbolique par une mise à l'écart sociale et/ou géographique sur des durées variables ; puis résurrection et réintégration dans un nouveau statut social. Dans la période de mort symbolique, les liens sont uniquement masculins avec la dimension identitaire que cela sous-tend et les pratiques visent à détruire le statut « petit garçon » de l'initié (prises de risque dans la forêt ou dans des épreuves initiatiques, humiliations, sévices, marques corporelles, silences, errements, etc.), mais aussi à faire connaître les secrets des hommes. Ces pratiques signent la nécessaire séparation du garçon de sa mère. Suivront la renaissance, souvent désignée comme un passage par un lieu symbolisant une matrice, et la réappropriation du petit homme engendré symboliquement cette fois par les pères. Cette renaissance donne au garçon une nouvelle identité indispensable pour prétendre au mariage et à la fonction paternelle : « La maternité place l'enfant en situation d'objet dans le processus reproducteur. L'initiation le hisse à une position de sujet dans

l'ordre de la filiation, l'autorisant à se marier, pour produire des enfants, ses descendants[2]. »

« *Méchante maman !* »

Aucune mère n'a du plaisir à entendre cette phrase bien
connue dans la bouche de son fils adoré. Pourtant, cette
phrase signifie que cette maman ainsi apostrophée est une
bonne mère. Nous sommes bien loin du crime d'Oreste
qui, assassinant sa mère Clytemnestre pour venger son
père, dit : « Oui, j'ai tué ma mère, et c'était justice,
puisqu'elle avait sur les mains le sang de mon père, contre
elle la haine des dieux[3]. » Ici, nous avons une preuve évidente que ce petit garçon considère généralement que c'est
une « gentille maman » ; sinon, il ne ferait pas la différence. Nous avons surtout la preuve que la maman a su
dire non à une de ses exigences ou à un de ses caprices
momentanés. Une autre variante de cette attaque filiale
peut être : « J't'aime plus ! » C'est là aussi souvent le signe
que la volonté de contrôle tout-puissant du petit garçon
sur sa mère a été mise en échec et heureusement. Les
mères doivent savoir dire non à cette toute-puissance et
savoir, par moments, s'occuper d'elles, des autres, avoir les
coudées franches, aller et venir librement et, même,
oublier leur « petit tyran » pour penser à leur propre vie.

« *Ma mère, c'est un bulldozer...* »

Étienne a 17 ans. Il a des moments de déprime qui ont alerté ses
parents. Sa mère vient me parler de son fils avant que je le reçoive. Elle

m'apparaît comme une femme énergique, affective et très inquiète pour son garçon. Intelligent, celui-ci fait pour la première fois une mauvaise année scolaire et a même parlé d'un manque de goût pour la vie. Huit jours plus tard, je reçois Étienne seul. Sa première phrase est : « Ma mère, c'est un bulldozer. » J'interprète cette image dans le sens à la fois d'une fierté et d'un reproche. Étienne aime ses parents, mais il trouve son père distant, trop uniquement intéressé par ses résultats scolaires ; inversement, il ne sait pas comment mettre sa mère à distance. « Elle m'a toujours poussé, tracé le chemin, je lui dois beaucoup, mais, encore aujourd'hui, elle ne peut s'empêcher de tout contrôler – ma chambre, mes amis, mes sorties… Elle est comme ça avec tout le monde… Je ne lui en veux pas mais, parfois, je n'en peux plus. »

Rappelons la définition du Petit Larousse : « Bulldozer : engin à chenilles, très puissant, portant une lame à l'avant et servant au nivellement et au déblaiement du terrain, dans les travaux de terrassement. »

« *Ma mère est trop mère poule !* »

La mère poule a trois occupations principales : se faire du souci, tenter de contrôler tout ce qui pourrait lui échapper et affubler son fils de diminutifs tous plus affectueux les uns que les autres (« mon chéri », « mon ange », « mon petit poussin »…). Quand un garçon se plaint que sa mère est trop « mère poule », ne peut-on dire avec humour que l'atmosphère familiale présente en effet des similitudes avec une basse-cour où la règle est de picorer dans l'espace prévu et de se coucher avant la fin du jour ?

Aymeric rentre en première littéraire, il a 16 ans. L'année dernière, sa classe lui a déplu, il s'est senti rejeté par un groupe de filles et de garçons et a développé une véritable réaction dépressive. Il a commencé à se sentir beaucoup mieux à la fin du dernier trimestre, a repris confiance en lui et a pu me parler de ses angoisses à propos de son corps et de sa timidité. À la rentrée, quand il revient me voir, il me parle de ses vacances. Il est allé chez un ami de sa classe à côté de New York. Il est très content de ce séjour, a rencontré une jeune Américaine, s'en est fait une petite amie et regrette qu'elle habite si loin. En revanche, il est furieux contre sa mère. La veille de son départ, elle lui a appris qu'elle prenait l'avion avec lui, car elle devait aller aux États-Unis pour son travail. Elle mentait, il le savait : en fait, elle avait peur qu'il prenne l'avion tout seul et surtout qu'il se retrouve tout seul à l'aéroport de New York, les parents de son ami ayant la réputation de ne jamais être à l'heure. L'anxiété de sa mère, il la connaît bien. Elle dit elle-même qu'elle est trop mère poule, mais à ce point, maintenant à son âge, elle pourrait un peu le « lâcher ». Il l'aime beaucoup, il lui pardonne son anxiété excessive, mais là, me dit-il, elle devrait comprendre. Comme dans une basse-cour, malgré les ailes, la difficulté à s'envoler est bien présente.

Une mère poule est nécessaire pour un poussin qui, comme tous les autres poussins de la couvée, va suivre aveuglément sa mère pour qu'elle le nourrisse et continue de le protéger, mais cette étape ne saurait durer toujours et doit s'achever dès que le poussin est devenu indépendant. Il en est de même pour Aymeric que sa mère couve depuis qu'il est « haut comme ça », et qui mesure maintenant un mètre quatre-vingt-six.

« *Ma mère a trop peur que je ne l'aime pas...* »

Certaines mères semblent hantées par la crainte de perdre l'amour de leur fils et sont prêtes à tout faire pour le satisfaire. Souvent, elles cherchent inconsciemment à donner l'image d'une mère parfaite, soit parce qu'elles ont le sentiment que leur propre mère était comme ça, soit, au contraire, pour ne pas répéter ce qu'elles ont ressenti comme une insuffisance majeure chez celle-ci. Il arrive alors qu'elles aient l'impression que leur fils est un ingrat s'il se plaint d'étouffer. Ces mères se disent alors parfois que les mères qui s'occupent moins de leur enfant ont plus de satisfaction.

Un jeu pervers peut s'ensuivre. Le risque majeur est celui d'une bascule entre amour et violence. Le fils cherche un équilibre et une distance qu'il ne trouve pas et s'engage dans une escalade de provocations et de demandes parfois insensées. D'autres mères manifestent cette crainte de ne pas être aimées par un besoin involontaire, mais excessif, de maintenir un lien de dépendance affective. C'est l'histoire de David qui téléphone à sa mère :

« Allô, Maman ? Comment ça va ?
– Ça va bien, répond sa mère.
– Oh, désolé, j'ai dû me tromper de numéro... »

« *Ma mère veut toujours savoir ce que je fais !* »

Une mère avec son jeune enfant sait toujours ce que fait celui-ci. Il est à l'école, chez sa nourrice, il va à telle activité, etc. Même quand il ne tient pas la main de sa mère, il est inclus dans son psychisme et la maman a une représentation psychique précise de son enfant, une sorte de lien imaginaire qui l'unit à lui. De son côté, l'enfant aime dire où il va, ce qu'il fait, avec qui, etc. Il aime raconter et tenir au courant.

Cela change à mesure que l'enfant grandit, et la mère doit respecter de plus en plus un territoire qui n'est plus le sien. Un jour arrive où, pendant quelques heures, un après-midi, elle ne sait pas où est « passé » son garçon (typiquement entre 12-13 ans). Elle rentre du travail, et il n'est pas là. Quelques coups de fil aux amis habituels se révèlent sans succès. Selon sa tolérance à l'angoisse (c'est-à-dire sa tolérance à la séparation psychique), la mère sera plus ou moins inquiète. Peu avant l'heure du repas familial, l'ado rentrera détendu et heureux ; il ne comprendra pas l'inquiétude maternelle et déclarera qu'il a passé l'après-midi chez ce nouveau copain (nouvelle copine) dont il a d'ailleurs parlé deux jours ou trois semaines plus tôt : « Tu ne te rappelles pas ? » Là encore, selon sa propre tolérance à l'angoisse, la mère admonestera son enfant ou bien acceptera l'initiative de son adolescent. Quoi qu'il en soit, cet après-midi-là, la « séparation psychique » a eu lieu.

Certaines mères ne le supportent justement pas : « Il peut faire ce qu'il veut ; moi, ce que je veux, c'est savoir où il est... » De toute façon, « on ne peut pas lui faire confiance » ! Dans cette affirmation il y a, d'une part, le besoin de maintenir le lien infantile et, d'autre part, l'angoisse de devoir affronter la séparation.

En dehors des situations où une mère s'inquiète à juste titre pour son garçon qui glisse vers des comportements à risque (type drogue ou délinquance), il faut voir dans cette nécessité de toujours savoir où est son fils et ce qu'il fait, l'expression d'un désir de maîtrise, lequel est ravivé par la rupture de l'équilibre familial qui régnait jusque-là.

Avec un jeune enfant, le désir de maîtrise maternel se traduit par un contrôle du comportement vestimentaire, alimentaire ou par un contrôle de la vie quotidienne (dormir, se laver)... Avec un enfant plus âgé, il se traduira de manière plus subtile par des tentatives de contrôle sur la vie sociale, relationnelle ou intellectuelle. Certaines mères développent ainsi des exigences démesurées sur l'un ou l'autre de ces domaines, exigences qui rencontrent la plupart du temps des attitudes d'opposition de plus en plus exacerbées à mesure que le garçon grandit et se rapproche de l'adolescence. Dans quelques cas, l'enfant se soumet, mais c'est toujours une perte dans l'accession de son autonomie, non seulement sur le plan de la réalité matérielle, mais souvent aussi, hélas, sur le plan de la réalité psychique. Avec un adolescent, l'interdiction de sortie au-delà d'une certaine heure est justifiée par une crainte consciente, mais elle est souvent sous-tendue par ce besoin de contrôle et peut être la source d'attitudes réactionnelles comme l'enfermement de l'adolescent dans sa chambre. Bien entendu, cela suscite chez ce même adolescent des réactions symétriques en escalade : plus il est contraint et enfermé, plus il voudra s'évader, allant jusqu'à faire le mur pour échapper à cette maîtrise.

Cette dynamique conflictuelle est un bon exemple de ce qu'on appelle la « séparation ». Se « séparer » ne consiste pas seulement à mettre une distance entre deux personnes ; cela consiste aussi à accepter d'être dans l'ignorance, plus ou moins temporaire, de ce que fait l'autre, où et avec qui.

« *En plus, ma mère est prof !* »

Il n'est pas toujours facile d'être le fils d'une enseignante et, inversement, d'être mère et enseignante. Je reçois souvent des garçons dont l'un des deux parents ou les deux sont enseignants. Lorsqu'il s'agit de la maman, le garçon se plaint, comme tout garçon, du manque de liberté ou de confiance qu'elle lui fait. Surgit, à un moment ou à un autre, la question du travail scolaire, la maman disant : « C'est d'autant plus dur que je suis prof ! » Et le fils saute alors sur l'occasion, expliquant toutes ses réticences face aux conseils de ses parents par cette formule magique : « J'ai l'impression qu'à la maison, c'est l'école. »

Chacun sait que les enfants de profs réussissent souvent mieux scolairement que la moyenne. On le reproche même parfois aux enseignants. Il faudrait savoir ! Il peut sans doute exister des situations où une mère prof transforme la maison en succursale parascolaire. À la moindre incartade, le zéro de conduite semble poindre. En outre, les autres mamans, quand elles viennent à la maison, ne manquent pas d'interroger devant les intéressés la maman enseignante sur ce qu'il faut faire pour la scolarité de leur fils.

Le fils de Madame le professeur, lui, se sent mal à l'aise. Il peut être envié par ses camarades (« c'est facile pour toi, ta mère est prof ! ») ; il peut aussi être la cible des reproches que ses camarades font à sa mère ou aux collègues de celle-ci. Il peut, pour prendre de la distance vis-à-vis de sa mère, se sentir attiré par la rébellion que les mauvais élèves cultivent par nature ; il peut enfin se sentir jaloux de l'intérêt que sa mère porte à un ou plusieurs

autres élèves, surtout si celle-ci a le malheur de dire :
« Pourquoi tu n'as pas Victor [qui, par hasard, est le
meilleur de la classe] pour meilleur ami ? »

Le fils ne se rend pas compte que ce n'est pas facile non
plus pour sa mère, lorsqu'elle rentre à la maison. Comme
toujours, la médiation par un tiers est ici la meilleure
solution. Ce qui concerne la scolarité doit être, le plus
possible, traité par la mère prof comme si elle était
n'importe quelle mère, avec une « petite compétence sup-
plémentaire » qu'elle peut utiliser mais discrètement.

« *Après tout ce que j'ai fait pour lui...* »

À juste titre, les mères attendent d'être au moins, pour
une petite part, remboursées d'une dette. Si elles savent que
le temps peut leur infliger des déceptions, il n'en reste pas
moins qu'elles seront extrêmement affectées de n'avoir
aucune considération de la part de leur fils en retour de
l'amour et du temps qu'elles ont consacrés à son éducation.

Jadis, les parents attendaient de leurs adolescents qu'ils
les respectent et qu'ils pourvoient à leur vieillesse, leur
offrant une protection sociale qu'eux-mêmes n'étaient pas
en mesure de s'assurer. De nos jours, la protection de la
vieillesse est en partie garantie par la société, mais ce
besoin de protection reste vif, même s'il s'exprime de façon
plus symbolisée. Les parents attendent de leurs adolescents
la réalisation d'une partie de leurs propres désirs, mais ils
attendent aussi que cette réalisation compense en partie les
pertes qu'ils sont, eux, en train de vivre. Pour les parents,
quand l'heure de l'autonomie de l'enfant arrive, c'est le
temps des moissons ; pour l'enfant concerné, ce serait plu-

tôt le temps des semailles et la terre risque d'être retournée avant que les récoltes soient faites et engrangées.

Bien évidemment, le degré de symbolisation de cette demande de remboursement varie d'une mère à l'autre et d'une famille à l'autre, et dépend beaucoup du niveau social et culturel. Parfois, il s'agit d'une exigence quasi matérielle : l'enfant va, enfin, pouvoir payer en retour ses parents en les aidant concrètement ou financièrement à l'entretien de la maison. Ailleurs, la demande sera plus symbolique et le fils devra faire de bonnes études pour poursuivre l'ascension sociale à laquelle les générations précédentes ont travaillé. Dans les familles où le garçon est en violent conflit avec ses parents, cette dette peut prendre un aspect paradoxal, s'exprimant sous la forme de la loi du talion : « Puisque tu me déçois (ou tu nous déçois), ce que nous avons vécu, tu dois le vivre aussi. » Une telle position correspond à des mécanismes rigides et archaïques : en obligeant l'enfant à vivre les mêmes problèmes, les mêmes affects, les mêmes conflits, les mêmes tensions que ceux qu'ils ont vécus eux-mêmes, les parents se sentent projectivement soulagés de cette conflictualité qui a longtemps été refoulée. Ils font ainsi, inconsciemment et même parfois consciemment, payer à leur adolescent le poids de leur propre dette, impayée envers leurs parents, c'est-à-dire les grands-parents de l'enfant. Ce faisant, ils trouvent enfin une identi-fication parentale à leurs propres parents, se servant de la génération des enfants pour « régler leurs comptes ». On observe souvent un tel comportement et de telles exigences dans les cas de rupture majeure entre l'enfant et ses parents. Cette rupture marque une sorte d'expulsion de l'adolescent du toit familial et, souvent, provoque paradoxa-lement un blocage du travail psychique d'autonomisation.

La disparition d'une mère

En 1514, année de la mort de sa mère, Albrecht Dürer conçoit la célèbre gravure *Melencolia I*. Avec cette gravure, il rompt les représentations traditionnelles et propose, par les symboles accumulés, une énigme qui a suscité maintes interprétations. Une mère source de désespoir et d'originalité créatrice chez son fils, quel symbole !

Beaucoup plus proche de nous, Jean-Michel Basquiat, le peintre new-yorkais, connu initialement pour ses talents de graffitiste dans le métro de New York et mort d'une overdose à 27 ans, est hanté dans ses tableaux par les os et les organes. Cette hantise lui serait venue à la suite de la lecture d'un manuel d'anatomie que lui offrit sa mère lors de son hospitalisation après un accident de voiture, quand il avait 8 ans. Chaque coup de pinceau est, chez lui, une incision dans la toile lui permettant de manifester son lien profond et angoissé à sa mère qu'il a eu peur de voir handicapée ou disparaître.

Au cours de la vie, l'absence réelle d'une mère, que cette absence soit liée à un deuil ou à un divorce, touche profondément un garçon.

Quels que soient les facteurs de résilience dont, en particulier, Boris Cyrulnik a montré l'importance, la douleur sera d'autant plus forte que la mère a disparu beaucoup trop précocement. Son souvenir ne sera jamais éteint. Qui a oublié :

« Je suis le Ténébreux, le Veuf, l'Inconsolé,
Le Prince d'Aquitaine à la tour abolie,
Ma seule étoile est morte, et mon luth constellé,
Porte le Soleil noir de la Mélancolie. »

L'œuvre de Gérard de Nerval, qui perdit sa mère « de fièvre et de fatigue » à l'âge de 2 ans, a été définie comme une « poétique du deuil[4] ». Pourquoi ? Parce que ses écrits, *Les Chimères* ou *Aurélia*, témoignent de la capacité de ce poète à se reconstruire une identité réfractant le deuil subi à la petite enfance. Ce n'est qu'à 23 ans que Gérard Labrunie prendra, après bien d'autres pseudonymes, celui définitif de Gérard de Nerval, nom d'un clos appartenant à la famille maternelle. Freud, lui, un an avant de perdre sa mère en 1930, alors qu'elle a 95 ans et lui 74, écrit à un ami : « La mort d'une mère : un événement capital, qui ne se compare à aucun autre et doit éveiller des émotions difficiles à saisir. » Il ajoute ailleurs : « Je n'avais pas le droit de mourir tant qu'elle était encore en vie, et maintenant j'ai ce droit. » Rappelons qu'il n'assistera pas à l'enterrement, prétextant des ennuis de santé. Certains retrouvent dans cette attitude de fuite le côté phobique de Freud mais aussi une explication à cette pathologie phobique.

J'ai rencontré plusieurs garçons dont la mère était précocement disparue. Tous en étaient profondément marqués et tous avaient une relation particulière à la vie : un désir intense de vivre au point parfois de rechercher les sensations les plus excitantes et les plus dangereuses et, d'un autre côté, un besoin de contrôler leur existence et celle des autres comme si rien ne devait être laissé au hasard. Ces deux mouvements personnels, apparemment opposés, peuvent être la source de conflits d'intention et, plus prosaïquement, de conflits relationnels douloureux.

Jean-Louis, à 40 ans, s'interrogeait sur son existence. Il avait « baroudé » sur les cinq continents pour son métier de « commercial », semblant fuir toute attache affective et sentimentale. Dès le baccalauréat, il avait souhaité partir faire ses études loin de chez lui. Il se reconnaissait un esprit d'indépendance exacerbé, c'était son caractère, pensait-il. Peu à peu, nous pûmes ensemble comprendre que, derrière cette apparente soif d'autonomie, se cachait une crainte profonde de se sentir trop attaché à ceux à qui il pourrait faire confiance, à ceux avec qui il pourrait se lier d'amitié et, encore plus, d'amour. D'où pouvait lui venir cette crainte tenace ? Jean-Louis, à l'âge de 5 ans, avait perdu sa mère d'un cancer. Il avait le souvenir d'une femme très belle, et les photos le confirmaient. Face à son père, il s'était toujours senti redevable, parce qu'il l'avait « bien élevé » mais, selon lui, dans un esprit de sacrifice et sans la chaleur qu'il aurait aimé sentir. Son père s'était remarié tardivement, lorsqu'il avait 20 ans, après donc qu'il eut quitté la maison. Avant, il avait vécu cinq ans avec une femme que Jean-Louis n'aimait pas et à propos de laquelle il se reprochait d'avoir tout fait pour qu'elle parte. Il avait le souvenir encore pénible, trente ans plus tard, d'avoir un jour dit à son père qu'il avait vu cette femme au bras d'un autre homme, ce qui était un mensonge. Voulait-il garder son père pour lui tout seul ? Ne voulait-il pas qu'une autre femme prenne la place de sa mère ? Sûrement les deux. Toutefois, la seconde explication était plus difficile consciemment à accepter, car c'était accepter de ressentir clairement combien sa mère lui manquait et reconnaître la douleur toujours profonde de sa disparition. Sa « fuite » par rapport à tout lien susceptible d'entraîner un véritable attachement prenait son sens par rapport à cette histoire.

Les rendez-vous manqués

Toutes les situations humaines sont particulières, mais je voudrais regrouper ici des situations où les relations mère-fils se passent mal, se détériorent ou deviennent réel-

lement douloureuses pour l'un ou pour l'autre, le plus
souvent pour les deux.

Les mauvais départs

Christine Ockrent, dans sa biographie de la journaliste
et ancien ministre Françoise Giroud, écrit : « Le plus grand
malheur de Françoise s'appelle Alain : c'est son fils. Cet
enfant, elle n'en voulait pas, et il le sait. Quoi qu'il fasse,
quoi qu'elle dise, il lui rappelle la honte, la tache indélébile
à ses yeux d'avoir été fille mère. » Nous laisserons à
l'auteur l'interprétation des raisons de cette relation très
difficile. Pour ma part, j'ai généralement observé trois cas
de figure : il peut s'agir d'un enfant absolument pas désiré ;
il peut aussi s'agir d'un garçon dont la mère, plus ou moins
rapidement, attribue la paternité du caractère difficile de
son fils à son mari avec lequel elle est fortement en conflit,
justement à cause de son caractère ; enfin, il peut s'agir
d'un garçon qui fait tout l'inverse de ce que sa mère atten-
dait de lui et qui, dès la naissance, est souvent plus idéalisé
que vraiment aimé. Cette dernière configuration est très
fréquente, en particulier à l'adolescence. Le garçon, en
général très attaché à sa mère, trop attaché, ne peut s'en
détacher qu'en s'opposant systématiquement à ce qu'elle
attend de lui. Le père est appelé à la rescousse, mais soit
par défaillance, soit par absence d'autorité, soit, mais
beaucoup plus rarement, par plaisir sadique à l'égard de sa
femme, il ne peut servir de médiateur.

Quand la colère remplace la vénération

De *Vipère au poing* d'Hervé Bazin aux *Parents terribles* de Jean Cocteau, combien d'écrivains ont eu à régler leurs comptes avec leur mère, montrant par là que tout n'est pas toujours « rose » dans cette relation. De fait, il existe des relations mère-fils particulièrement conflictuelles et douloureuses. Sans aller jusqu'au sentiment exprimé par Antonin Artaud qui suggérait d'étrangler sa mère parce qu'elle ne demande pas à son enfant la permission de le faire venir au monde et qui écrit : « Il est honteusement vrai qu'une femme qui a un enfant y gagne un calme et une sérénité que l'enfant paye de sa torture », un fils peut en vouloir à sa mère, ressentir de la colère à son égard et même ne plus vouloir lui parler.

La vie permet de découvrir que certains hommes éprouvent une fascination et un attachement pour leur mère mais aussi une crainte, voire une terreur, à leur égard. Les événements de la vie, le caractère autoritaire ou égoïste de certaines, le mal-être dépressif chez d'autres peuvent amener les garçons, à certains moments, à haïr leur mère. Les mamans ne voudront pas le croire et s'expliqueront les sentiments hostiles de leur fils par l'influence qu'il subit d'un tiers : la belle-fille ou la nouvelle petite amie souvent ; le père parfois. La psychanalyse préfère chercher une explication plus « archaïque » de ces sentiments et considérer que « le désir de dévoration du sein maternel que les bébés vivent est le plus souvent associé à la crainte du talion, la croyance au désir de la mère d'avaler son enfant et à celle du souhait de retourner dans ce sein protecteur ». Cette agressivité fantasmatique inconsciente serait très accentuée chez les garçons en raison de « leur élan sexuel qui désire s'introduire dans la cavité féminine ; ne vont-ils pas assimiler et associer la pénétration du vagin par le pénis à la pénétration de la bouche par leur corps tout entier, d'une façon sans doute confuse mais, cependant, symbolique[5] ? »

» *UNE MÈRE PEU AFFECTIVE*

On prête à John F. Kennedy cette phrase terrible concernant sa mère Rose Kennedy : « Elle n'était jamais là quand on avait besoin d'elle. » Certains expliquent les difficultés qu'ont rencontrées les différents fils de Rose Kennedy avec les femmes et leur donjuanisme par la froideur que cette mère manifestait à l'égard de ses enfants. Une mère peu affective peut donner à son fils l'image que la femme est inaccessible, mais elle peut aussi en faire un homme en quête de réussite. Elle peut surtout susciter chez l'enfant un sentiment d'abandon mais aussi de culpabilité de ne pas savoir se faire aimer. Mon expérience professionnelle m'a beaucoup appris à ce sujet.

> La première fois que je vis Arthur, il était âgé de 13 ans et redoublait sa cinquième. Je me souviens de ma première pensée : « Tiens, on dirait Poil de Carotte. » Son aspect enfantin et ses taches de rousseur avaient sans doute induit cette association, produisant une contre-attitude d'emblée ambivalente, car Poil de Carotte suscite chez moi, à la fois, l'affection et l'ennui. La mère d'Arthur, qui accompagnait son fils au cours de cette première consultation, paraissait envahie par une angoisse due aux problèmes de son fils et aux siens propres.
>
> Arthur, qui avait refusé de venir me voir, mais qui était néanmoins là, présentait une grande nervosité, des colères fréquentes et était en échec

scolaire. Sa mère, elle, souffrait, comme elle me l'avoua rapidement, de sa solitude, de son isolement social et, surtout, de l'absence à la maison de son mari. Cette absence était, à ses yeux, à l'origine des difficultés de son fils, et des siennes, d'ailleurs. Arthur écouta le flot de paroles maternelles, acquiesça pour l'insatisfaction liée à l'absence du père, mais s'opposa nettement à la plainte de la mère de ne pas avoir de vie sociale et de se sentir seule. Lorsqu'elle évoqua son absence de relations avec ses voisins, il intervint brusquement : « Mais non, tu as des amis, ils viennent même parfois à la maison. »

Lorsque je reçus, toujours la première fois, Arthur seul, ce qui, d'emblée, me surprit le plus fut sa réaction initiale, agressive et violente, à mon égard. Il me regarda droit dans les yeux et lança : « Je n'aime pas qu'on fouille dans mon passé ! » Je fus réellement surpris, car je n'avais encore rien dit et, lorsque je l'avais vu avec sa mère, très peu d'éléments sur son passé familial ou personnel avaient été abordés. L'entretien avait surtout tourné autour de la situation actuelle, à l'exception de l'évocation par sa mère d'une période particulièrement heureuse qui avait duré quelques années lorsque Arthur était enfant. La famille s'était retrouvée en Asie en raison des activités professionnelles du père. Commentant cet épisode, la mère avait simplement dit : « On était bien. » Et Arthur alors n'avait rien manifesté de particulier.

Revenons maintenant à mon association initiale à propos de ce garçon : « Tiens, on dirait Poil de Carotte. » J'ai pu, au cours de ce traitement, comprendre, après coup, l'effraction dans ma conscience de cette représentation et l'ambivalence qu'elle comportait. Rappelons que Poil de Carotte, d'un physique ingrat, entretient des rapports difficiles avec une mère qui ne l'aime pas. S'habituant peu à peu aux mauvais traitements, il s'enferme de plus en plus dans l'isolement. Mais Jules Renard nous montre que ce garçon saura progressivement trouver chez son père, M. Lepic, un écho à sa tendresse refoulée. Arthur, lui, était aimé de façon ambivalente par sa mère. Celle-ci l'avait eu contre l'avis de sa propre mère, n'étant pas mariée, ce qui avait suscité chez elle une immense culpabilité. Durant toute son enfance, Arthur avait d'ailleurs inquiété sa mère et sa grand-mère maternelle, apparemment en raison de son hyperactivité et de son comportement d'opposition. Ce garçon avait des raisons de m'avoir fait penser à Poil de Carotte : « Quand j'étais petit, me dit-il un jour, je disais toujours non, c'est ce que ma mère m'a raconté. » Fouiller dans son passé, c'était lui rappeler toute cette enfance, à la fois heureuse et malheureuse, mais, en même temps, établir d'emblée un transfert ambivalent avec moi. Il savait maintenant qu'il ne voulait plus de cela, mais il le disait d'une façon telle qu'il semblait chercher en même temps mon appui pour que je reconstruise autrement ce passé. Comme il avait d'ailleurs recherché l'appui de son père qui semblait se défausser, contrairement au héros de Jules Renard…

On voit combien le début de l'adolescence est une période sensible et fragile condensant un double traumatisme : celui de la confrontation actuelle du Moi à l'émergence pubertaire, à la perte de contrôle que cela entraîne et à la menace de passivité et d'abandon, et celui du passé, de l'infantile en ce qu'il contient une quête d'amour et de protection jamais assouvie et, pour certains, particulièrement intense.

» UNE MÈRE PEU ÉDUCATRICE

Sans doute Adrien savait-il inconsciemment depuis sa petite enfance que sa jeune mère était fantasque et imprévisible. Ses parents s'étaient séparés lorsqu'il avait 6 ans. La mère avait eu la responsabilité éducative de ses deux enfants, bien qu'elle soit incontestablement assez instable dans ses relations personnelles, amicales et sentimentales. Adrien et son jeune frère, Julien, de deux ans son cadet, étaient partis dans le sud de la France où leur mère, ayant rencontré un artiste peintre dont elle était tombée amoureuse, s'était installée. Vingt ans plus tard, il gardait de cette période un souvenir contradictoire. Il se souvenait avoir été rejeté par ses petits camarades du village où il habitait et par les enfants de l'école où il était scolarisé. Les raisons en étaient qu'il était l'« étranger », mais aussi que sa mère passait pour une « originale ». En même temps, cette période était, dans ses souvenirs, très heureuse. Il se rappelait que sa mère le laissait tout à fait libre, qu'il jouait autant qu'il le souhaitait et qu'elle ne surveillait absolument pas sa scolarité, comme le fit plus tard son père qui reprit avec lui ses deux garçons en raison justement de leur scolarité désastreuse. Aujourd'hui, sa mère continue de le blesser par son égoïsme, mais il accepte qu'elle ne changera jamais ; sa vivacité et sa quête du plaisir quotidien l'ont toujours fasciné. Ses conflits avec son père ont marqué toute son adolescence. Durant cette période, il s'est senti constamment tiraillé entre la recherche de plaisir immédiat qu'il trouvait en particulier dans la drogue et le désir de satisfaire son père qu'il admirait. Rétrospectivement, il lui est reconnaissant de l'avoir contraint de mener une vie normale et de travailler pour réussir ses études. À 26 ans, il vient d'obtenir son diplôme d'avocat. Il me dit que sa mère savait chaque année la date de ses examens, mais qu'elle ne lui a jamais demandé ses résultats. « Elle est comme ça », lance-t-il avec une pointe d'amusement et de nostalgie. C'est lui qui me dira un jour avec humour : « On ne guérit jamais du mal de mère. »

Cette histoire montre combien les fils aiment leur mère, quels que soient les comportements de ces dernières et l'intérêt que certaines, tournées vers d'autres investissements, peuvent manifester à leur propre enfant.

Ces mères qui désirent trop

Combler un manque

Il n'y a pas d'amour entre une mère et un fils sans séparation, mais il arrive que la mère soit incapable de supporter avec amour et tendresse cette séparation. Cette difficulté l'amène alors à décourager tout geste d'individuation
en retirant tout appui à son enfant. Souvent, cette femme
souffre elle-même d'un sentiment d'abandon de la part de
son conjoint, de ses parents ou de supports affectifs personnels. Au moment de la seconde phase d'individuation-
séparation que constitue l'adolescence, la séparation de
l'environnement, associée à une séparation physique ou
affective concrète, réactive le sentiment d'abandon intrapsychique qui est retourné dans l'inconscient mais qui a
bloqué pour toute l'enfance l'évolution vers une autonomie
intrapsychique profonde, la capacité d'être seul.

Cette situation se rencontre dans les « histoires trop
symbiotiques », celles où l'on trouve fréquemment un adolescent très attaché à sa mère. Mais ce manque à combler
peut concerner aussi le manque d'estime que la mère
ressent à son propre égard : manque d'estime par rapport
à son milieu d'origine, manque d'estime par rapport aux
études qu'elle a faites, manque d'estime par rapport à son
conjoint et même manque d'estime par rapport à son physique, bien que, dans ce domaine, la réparation passe plus
par la fille. Toute mère a le droit de projeter sur son fils ses
propres idéaux de vie, sociaux, professionnels, relationnels, culturels, il s'agit même d'un moteur pour l'enfant,

mais, ici comme ailleurs, trop, c'est trop. Heureusement, les mères se rendent généralement compte de leurs attentes excessives à l'égard de leurs fils par rapport à ce qui leur a manqué personnellement.

Un petit homme

Si vous faites vos courses, accompagnée de votre fils qui porte un de vos sacs, et rencontrez une voisine, vous ne pouvez pas dire avec fierté : « Regardez mon petit homme ! » Où irions-nous ? Le problème est plus compliqué si vous confiez à votre meilleure amie les difficultés que vous rencontrez avec votre mari et que vous ajoutez : « Heureusement qu'il y a mon petit homme ! » en parlant de votre fils.

Un fils est un fils ; l'homme de sa mère est un homme, son père ou un autre homme. N'oublions pas que le rapport qu'une mère établit avec son fils est plus ou moins consciemment infiltré de son propre rapport au « masculin », c'est-à-dire aux représentations masculines qu'elle s'est construites à partir de sa propre histoire. Chaque fois qu'une mère est en contact intime avec son petit garçon, qu'elle le touche, qu'elle l'entend, qu'elle le regarde, qu'elle en parle, elle ne peut pas ignorer qu'elle a affaire à un mâle. Son fils n'est pas le premier mâle à qui elle a affaire. Cette histoire a commencé par sa relation à son propre père et par la façon dont elle a pu vivre cette « relation », par ses relations avec ses frères ou des cousins de son âge, puis par ses relations amoureuses d'adolescente, puis par sa relation aux hommes de sa vie de femme : amis, amants, employeurs, collègues, etc. Toutes ses relations se sont inconsciemment inscrites dans sa mémoire relationnelle et affective et forment le tissu de son rapport au « masculin ». Plus encore, son rapport au père du garçon vient compliquer le tableau, surtout si son fils manifeste des attitudes rappelant à s'y méprendre celles de son père. Ses opinions sur « comment sont les hommes », les échanges qu'elle a à ce propos avec sa mère ou avec ses amies donnent une certaine coloration à l'histoire qu'elle a avec son fils. Évidemment, pense-t-elle consciemment, lui, c'est différent. Pourtant, une mère doit prendre en compte tous ces éléments. Si elle n'y prête pas suffisamment attention, les effets négatifs s'en feront sentir dans les moments difficiles.

Qui trop embrasse mal étreint

Certains garçons expriment plus ou moins clairement le besoin de se protéger d'une mère qui les étouffe ou qui envahit trop leur vie. À quel type de mère ce sentiment peut-il donc renvoyer ?

» *LA MAMAN TROP PROTECTRICE*

Un souvenir d'enfance me fait encore sourire aujourd'hui : la mère d'un de mes amis les plus proches, qui était un peu une seconde mère pour moi, avant que son fils ne parte à l'école, lui disait systématiquement : « Es-tu bien couvert ? », que nous soyons en plein hiver ou en saison chaude à la fin de l'année scolaire. Il arrivait à mon ami de partir avec une écharpe alors qu'il n'en avait nullement besoin, pour immédiatement la retirer dès qu'il avait tourné le coin de la rue. Évidemment, ce fils rassurait sa mère mais, à l'époque, il était sérieusement énervé par les précautions qu'elle

prenait et qu'elle exprimait de surcroît devant des copains qui auraient pu se moquer.

Quand est-on une maman trop « mère poule » ? Mon expérience professionnelle m'amène à recevoir des garçons qui se plaignent que leur mère les « étouffe ». Ils se trompent rarement. Quand je reçois la maman, celle-ci me dit entre un semi-aveu et un semi-plaisir : « C'est vrai, je le couve de trop, je l'ai toujours trop couvé, je suis une vraie mère poule. » Elle ajoute la plupart du temps : « D'ailleurs, son père me l'a souvent reproché. » On est donc une maman trop « mère poule » quand son fils vous le dit et qu'on reconnaît soi-même la justesse de ses propos. On peut aussi reconnaître une maman trop « mère poule » quand, concernant son fils, cette maman vous dit ou se dit à elle-même : « Je sais tout de lui ! » Ce fantasme de toute-puissance habite toutes les mamans, mais croire réellement que ce fantasme est une réalité prouve l'omnipotence que cette maman cherche à exercer sur son garçon.

» *LA MÈRE INCESTUELLE*

C'est parfois très brutalement que la mère prend conscience de la maturité sexuelle de son fils. Aussi longtemps que l'immaturité physiologique se maintient, elle peut avoir à l'égard de son enfant diverses conduites d'amour et de tendresse qui n'ont aucune ambiguïté. Toilettes du jeune enfant, jeux de caresses, câlineries diverses sont possibles et non angoissants dans la mesure où ce garçon est, de par sa physiologie, immature. Quand il grandit, en revanche, c'est autre chose. Les rapprochements physiques, les embrassades tendres mais un peu trop serrées ont perdu l'innocence de l'enfance.

Les mères perçoivent confusément l'attirance que leur fils peut exercer sur elles. En termes psychologiques, cela signifie que les désirs incestueux se trouvent éveillés et risquent de parvenir à la conscience sous forme de fantasmes ou même au cours des rêves. Les mères doivent-elles s'en inquiéter ? Non, car grâce à la conscience qu'elles ont de ces fantasmes, elles peuvent y réagir en s'interdisant tout rapprochement physique ou tout propos ambigu. Il vaut mieux prendre conscience de ces fantasmes que de projeter inconsciemment sur son fils des pulsions et des désirs qui risquent de « sexualiser » toutes ses conduites.

Dans certains cas, le rapprochement physique inconscient de la mère peut entraîner une telle tension chez son fils qu'il a besoin de l'évacuer. C'est ce qu'on observe en particulier dans les crises de colère, voire les crises agressives, au cours desquelles le garçon casse du mobilier ou des objets. Ces crises se produisent en particulier en présence de la mère et de son fils, les deux protagonistes semblant incapables de faire face à la tension nouvelle apparue depuis que l'enfant est devenu pubère.

À son insu, une mère peut aussi être plus séductrice qu'elle ne le pense. Au risque de paraître « vieux jeu », il me semble préférable qu'une mère, qui a le droit de vouloir être jolie, séduisante et toujours jeune, ne laisse pas remonter sa jupe ou glisser son décolleté lorsqu'elle s'assied sur le canapé avec son garçon pour lui faire, avec la meilleure intention du monde, un câlin. Une autre prudence concerne les mères qui affirment au moment où leur garçon connaît ses premiers émois amoureux : « Moi, avec mon fils, on n'a aucun secret ! » Dans un nombre plus rare de cas, face à l'émergence de la puberté et à la transformation de l'enfant, la mère cherche à l'extérieur du couple des rapprochements de substitution (c'est tout aussi vrai pour le père confronté aux désirs incestueux inconscients pour sa fille). Ce que la littérature et le langage populaire évoquent sous le terme de « démon de midi » n'est rien d'autre que cet éveil de la problématique œdipienne et incestueuse et la tentative par la mère de chercher à l'extérieur de la famille et du couple une issue à ce conflit. Certaines sont ainsi conduites à choisir un nouveau partenaire sexuel dont l'âge n'est pas très éloigné de celui de leur adolescent.

Ma « *petite* » *belle-fille*

Les relations belle-mère/belle-fille sont une source de moqueries pour les observateurs et de grincements de dents pour les intéressées. Cela va de la tarte que la mère fait mieux que la femme au refus clair et net de la femme de « passer encore des vacances avec ta mère ». Cela va des phrases totalement ambivalentes de la mère à propos de sa future belle-fille (« ma "petite" belle-fille »), aux phrases assassines de la future belle-fille en question (« malgré son âge, elle est encore bien jeune »). Quel est donc l'enjeu de ce rapport aigre-doux si fréquemment rencontré ?

Julie, me parlant des difficultés qu'elle rencontre avec son mari Xavier, m'en donne très rapidement la raison : sa belle-mère. Pour elle, son mari est tombé à 20 ans dans ses bras pour échapper à ceux de sa mère. Elle ne s'est pas rendu compte pendant des années combien elle avait représenté une « planche de salut » pour ce jeune homme qui est devenu son mari. Elle aurait pourtant dû s'alarmer lorsque, à la première dispute importante du jeune couple à propos de l'organisation de leurs vacances, il est parti se faire consoler chez sa mère. Cette dernière a toujours été, selon Julie, une femme féroce et protectrice à l'égard de toute sa couvée et dominant fortement son mari. Très vite, sa belle-mère vint rendre de plus en plus souvent visite au jeune couple. Le prétexte en fut la naissance de leur premier bébé. Évidemment, ces visites et ces inspections n'avaient pas la meilleure influence sur l'humeur de Julie.

Un détail déclenchait systématiquement un mouvement de colère incontrôlable chez cette jeune femme : sa belle-mère arrivait, chaque fois, avec des victuailles, remplissant le réfrigérateur du jeune couple, ne tenant aucun compte des réflexions de Julie sur cette intrusion blessante pour elle. Que devait-elle faire : remplir son réfrigérateur avant l'arrivée de « Mamie » ou profiter de cette aubaine pour aller au restaurant avec l'argent que, du même coup, le couple ne dépensait pas ? Évidemment, une telle relation dissimulait à peine une jalousie féroce pour la possession de celui qui était l'homme de l'une et le petit garçon de l'autre, dont la fonction nourricière prenait ici un sens tout à fait symbolique (cette belle-mère n'avait pas pu déléguer ses prérogatives maternelles de « nourrissage »).

Le problème souvent rencontré entre une femme et sa belle-mère se complique du fait que ces situations révèlent implicitement que le fils, l'homme en question, a choisi une épouse qui ressemble à sa mère, féroce et protectrice : on ne peut pas s'étonner que la rencontre entre ces deux caractères bien trempés soit explosive.

Un idéal masculin

Si vous avez le droit en tant que mère de souhaiter que votre fils, par certains aspects de sa personnalité, vous ressemble, le danger serait que vous projetiez sur lui votre idéal masculin. Pour construire son identité d'homme, un garçon a besoin de pouvoir répondre aux attentes de ses parents et donc de sa mère, mais aussi aux nouvelles espérances que le monde extérieur met en lui (attentes sociales de son époque, attentes de ses pairs), et, surtout, à ses propres attentes. Je veux parler ici d'une instance psychique, bien connue des psychologues et des psychanalystes : « l'idéal du Moi ».

Cet idéal du Moi est une composante principale de l'identité du sujet qui ne s'appuie plus uniquement sur l'idéalisation des parents et l'idéalisation de l'enfant par les parents, mais aussi sur l'idéalisation du monde extérieur et l'idéalisation de soi par le sujet lui-même. La relation entre le Moi, c'est-à-dire ce que l'on est (ou surtout ce que l'on croit être), et l'idéal du Moi (ce que l'on souhaite être) marque le devenir personnel et succède à une relation relativement passive aux souhaits des parents. Cela ne veut pas dire qu'il y a une contradiction entre les deux, sauf si l'un est trop puissant.

Certaines mères peuvent trop attendre de leur fils qu'il réalise l'idéal masculin dont elles rêvent ou qui leur a manqué. Cet idéal peut renvoyer, à l'inverse, à un mari décevant, un amant du passé ou un père mort dont on a jamais fait le deuil. À travers leur fils, ces mères se défendent de leur propre déception. Ne peut-on s'interroger une fois de plus sur les relations entre Amalia et Sigmund ? Ce dernier a décrit, en particulier à Jung, combien il s'était identifié à la force des aspirations maternelles et évoqué le sentiment d'aliénation qu'il en avait ressenti, tout en maintenant son idéalisation à l'égard de sa mère.

Une limite à ne pas franchir : l'interdit de l'inceste

La question de l'inceste mère-fils est heureusement surtout une question débattue autour d'une œuvre littéraire
ou d'un film, comme ce fut le cas du débat télévisé suivant
la diffusion du film de Louis Malle, *Le Souffle au cœur*. Il
s'agit d'une situation rare, chacun s'accordant pour reconnaître qu'il n'a pas, de loin, la fréquence du problème de
l'inceste père-fille ou beau-père-fille. Toutefois, pour les
spécialistes, il serait « plus dévastateur, parce qu'il suppose
que le fils dépasse l'"horreur" du sexe de sa mère et se
montre actif dans le coït[6] ».

II

ÉLEVER UN GARÇON

Aucune mère ne cherche délibérément à rendre son fils timide, craintif ou bien insupportable et violent. Pourtant, au cours de leur développement, beaucoup de garçons auront des comportements à réprimander, des attitudes à reprendre, des paroles inacceptables. Les mères souhaitent un fils bien élevé, il pourra être malpoli ; elles le veulent sûr de lui, il sera inquiet ou, au contraire, prétentieux ; elles le veulent honnête, il leur mentira ; elles le veulent heureux, il pourra se montrer triste ou irritable.

La première personne qui reconnaît son enfant est la mère, qu'il s'agisse d'une fille ou d'un fils. Elle le reconnaît dans tous les sens du terme, et le Littré n'en distingue pas moins de... vingt-trois ! Elle le reconnaît physiquement, elle marque la filiation qui les unit, elle l'authentifie, elle lui sait gré aussi des bienfaits reçus. Les psychanalystes affirment qu'on ne peut construire sa propre identité, c'est-à-dire se reconnaître soi-même, que si l'on s'est senti reconnu par ses parents, et en particulier par sa mère. Le philosophe Paul Ricœur, lui, souligne que la reconnaissance est d'abord identification[1]. Quand une mère dit de son fils : « Je ne le reconnais plus », il y a toujours un regret, parfois une véritable déception. La raison est qu'elle ne peut plus l'influencer comme par le passé et qu'elle ne peut donc plus s'identifier à lui. Cette étape, pénible pour ô combien de mères, est pourtant nécessaire au besoin du fils chéri qui doit se reconnaître lui-même différent de sa mère, d'autant qu'il y a ici, plus que pour les filles, l'affirmation de l'identité sexuée à prendre en compte. Viendra ensuite une reconnaissance mutuelle entre une mère et son fils, « reconnaissance apaisée[2] », qui présagera un paradoxe apparent reposant sur le fait que plus l'être humain s'affirme et se sent à l'aise dans sa propre identité, plus il recherche et est séduit par ce qui lui paraît différent. On mesure par là en quoi une relation entre une mère et son fils diverge des rapports entretenus par cette même mère avec sa fille et prépare le garçon aux relations avec la femme.

Chapitre IV

TESTOSTÉRONE !

Toutes les mères sont confrontées à des problèmes concrets qui requièrent des réponses précises. Impossible de se contenter de clichés du style : « Soyez plus disponible ! », ou encore : « Montrez-lui plus d'attention ! » Élever un garçon, c'est faire face à une série illimitée de petits événements quotidiens : lui donner la tétée ou le biberon, l'accompagner à son examen de solfège, lui apprendre à nouer ses lacets ou à fermer son pantalon. C'est aussi gérer des conflits périodiques à propos des devoirs à terminer avant le dîner ou de la chambre à ranger. C'est encore être furieuse parce que, pour la première fois, il vous a désobéi et répondu avec insolence. Élever un garçon, c'est, enfin, apprendre à trouver la bonne réponse, au bon moment, lorsque survient une crise passagère, sans précipitation ni insistance lourde.

Personne n'est prêt à croire qu'une mère, sauf si elle souffre de problèmes personnels, cherche à nuire à son fils. Malheureusement, même les mères les plus aimantes peuvent se montrer très maladroites. Pourquoi ? Parce que la plupart d'entre elles n'apprennent que par expérience ce qu'est un garçon. Savent-elles qu'un garçon peut être très vite blessé par un mot maladroit dont il se sentira humilié sans pouvoir longtemps le dire ?

Chacun connaît le pouvoir des mots dans l'éducation d'un enfant et d'un adolescent. Selon les termes qu'on emploie pour éduquer, encourager ou marquer une limite, on choisit, sans toujours en être conscient, le meilleur ou le pire des chemins. Quels mots faut-il donc utiliser préférentiellement avec un garçon ? Impossible de donner un lexique précis et exhaustif, mais il vaut mieux savoir qu'un garçon sera plus sensible aux phrases qui portent sur ce qu'il fait que sur ce qu'il est. Pour lui donner confiance en lui, vous pouvez toujours dire à votre fils qu'il est très gentil ou absolument merveilleux, cela lui fera plaisir, mais il intériorisera encore mieux votre propos si vous lui parlez d'un comportement qu'il a asssimilé, d'un effort qu'il a su faire ou d'un événement où il s'est montré à la hauteur. De même pour les reproches et les critiques : les garçons sont plus aptes à entendre des mots qui leur renvoient une image de ce qu'ils font que de ce qu'ils sont. Ils ne sont évidemment pas insensibles au fait qu'on leur renvoie une image favorable ou défavorable d'eux-mêmes, mais ils se réfèrent beaucoup plus volontiers à la réussite ou à l'échec de leurs actions. Cela est vrai quand ils se comparent entre eux, mais aussi quand leurs parents leur parlent. Plus les garçons se sentent fiers des efforts qu'ils ont faits, plus ils les poursuivent.

Une autre raison complexe justifie cette préférence pour les actes plutôt que pour les jugements sur tel ou tel trait de personnalité. Les enfants ont, par moments, des fantasmes destructeurs à l'égard de leur propre famille, y compris de leur mère, même si celle-ci est la plus épargnée. J'accompagnai ainsi dans leur voiture un couple d'amis avec leurs deux fils pour rejoindre notre lieu de vacances commun. Guillaume, le cadet, avait réclamé avec insistance une glace lors du précédent arrêt. Jérôme, l'aîné, n'avait rien demandé et quand la même glace lui avait été proposée, il l'avait refusée. Quelques minutes plus tard, Annie, la mère des deux garçons, me dit au milieu d'une conversation concernant les enfants qui semblaient ne pas écouter : « Jérôme est parfait ! » À peine avait-elle prononcé cet éloge vibrant qu'une bagarre éclatait à l'arrière, Jérôme ayant à l'évidence écrasé la tête de son frère sur la glace qu'il était en train de manger. Quelques minutes plus tard, le calme revenu, Jérôme révéla la raison de son geste : il détestait ses parents, surtout sa mère quand elle cédait à tous les caprices de son petit frère, et entendait bien montrer par ce qu'il avait fait et ce qu'il venait de dire que ni lui ni son petit frère n'étaient des enfants parfaits.

Un garçon peut être gêné d'être considéré comme meilleur qu'il n'est ; il peut vouloir lui-même le faire croire mais, paradoxalement, il acceptera mal que ses parents et, en particulier, sa mère se méprennent sur son compte. Quand une mère dit à son fils : « Tu es un garçon parfait », sans invoquer un comportement qui le justifie, le fils ne peut accepter sans crainte ni culpabilité ce jugement apparemment plein d'amour. Pourquoi ? Parce que l'image qu'il a de lui-même est tout autre. À ces propres yeux, il sait qu'il n'est pas parfait.

À l'adolescence, ce paradoxe se vérifie fréquemment : plus une mère se voile la face sur les problèmes de son fils,

plus celui-ci peut les accentuer pour provoquer une réaction plus adaptée à la réalité de ce qu'il pense être. Un
commentaire sur le comportement d'un garçon doit être
choisi, dans la mesure du possible, de façon qu'il en tire
une vision réaliste de lui-même. Il vaut toujours mieux
dire à son fils qui revient avec une bonne note de l'école ou
une médaille en judo : « Tu dois être fier de toi » que : « Je
suis fière de toi. » En agissant ainsi, vous lui permettez en
effet de s'approprier votre propre jugement, qu'il a
d'ailleurs tout à fait bien deviné.

> Je reçois Guillaume, un garçon de 24 ans, avec son père et sa mère,
> pour faire le bilan d'une brève psychothérapie. Quelques mois plus tôt, il
> était venu sur les recommandations de sa mère qui le trouvait déprimé.
> De fait, Guillaume était fatigué, morose, sans énergie. Rapidement, il me
> parla de ses parents qui se disputaient depuis toujours, tout en s'aimant
> sans doute suffisamment pour ne jamais envisager de se séparer, mais,
> maintenant, il en avait assez. Il exprima des reproches qu'il n'avait jamais
> osé faire à ses parents, ma position de thérapeute n'éveillant pas chez lui
> une culpabilité trop forte. Il se sentit rapidement mieux, soulagé d'un
> poids qui n'avait pourtant rien de dramatique. Vient la rencontre de bilan
> qu'il appréhendait néanmoins. Chacun est satisfait de l'évolution rapide de
> Guillaume, mais, tout à coup, sa mère, sans doute pour être sûre qu'il n'y
> a plus de points à éclaircir, déclare : « Reste que tu n'as pas beaucoup de
> camarades. » Guillaume réagit dans l'instant : « Je ne supporte plus que
> tu dises n'importe quoi ! » À 24 ans, entendre ce jugement maternel,
> même dénué de méchanceté, peut être blessant.
>
> La mère de Guillaume apprit par cette expérience ce que toute mère
> doit avoir à l'esprit dès qu'elle commence à élever un garçon : avec un
> fils, on est parfois inconscient du pouvoir plus destructeur des mots que
> des gestes. Pour lui, les mots sont comme des couteaux qu'il ne sait pas
> parfaitement utiliser. On pourrait à l'extrême dire qu'un garçon sait

mieux manier les couteaux que les mots. C'est une image, mais elle est juste. Ce qu'il ressent comme un coup, il y répondra par un coup, mais si le coup est un mot, surtout venant de celle qu'il respecte le plus, il ne saura qu'en faire pendant longtemps.

Un garçon est une poudrière émotionnelle qui explose à la moindre étincelle. On peut le faire exploser par une simple critique sur son langage ou sur son comportement. Arrêter l'explosion et déminer le terrain ne se feront pas facilement, et sûrement pas par de longs discours. Trop de mères pensent que l'amour et la fameuse « communication » dont elles reprochent, souvent à juste titre, la défaillance à leur mari, suffisent. Elles doivent savoir qu'il est plus efficace d'apaiser préventivement les angoisses d'un garçon que de critiquer un comportement qui en est fréquemment la résultante. Peut-être encore plus qu'avec leurs filles, les mères doivent être attentives à ne pas d'abord critiquer le comportement. À un garçon qui a oublié un livre en classe, mieux vaut dire : « Est-ce que tu peux quand même apprendre ta leçon pour demain sans être puni ? », ou bien : « Tu veux qu'on appelle ton copain Fred qui habite à côté pour qu'il te prête son livre quand il aura fini de s'en servir ? », que : « Mais quel âge as-tu donc ! On dirait un enfant de 3 ans ! Ta sœur, elle, n'oublie jamais ses affaires ! »

Pourquoi privilégier ce type de communication avec un garçon ? D'abord parce qu'un garçon est beaucoup plus sensible qu'il n'y paraît ; il est sensible aux critiques, sensible au soutien. Les filles sont sensibles, elles aussi, mais elles se débrouillent mieux parce qu'elles savent l'exprimer. Ensuite parce que les garçons sont plus agressifs dans leurs comportements et dans leurs émotions : la critique maternelle d'un comportement sera vécue plus comme une agression que comme un conseil.

C'est un garçon...

Il suffit de regarder des garçons jouer entre eux, se comporter dans une cour de récréation ou discuter à plusieurs pour comprendre qu'ils s'expriment plus physiquement que verbalement, qu'ils s'expriment volontiers bruyamment et qu'ils aiment changer souvent d'activité.

Beaucoup de problèmes de discipline avec les garçons viennent de la restriction d'activités physiques à laquelle on les contraint. Le système scolaire français n'a toujours pas compris cette évidence. Les garçons plus encore que les filles ont besoin de courir, de sauter, de grimper, de s'attraper, d'avoir des jeux physiques, de faire régulièrement du sport, leur permettant de décharger leur tension émotionnelle, leur énergie, leur agressivité. Aménager des temps d'activités physiques et un environnement propice pour les pratiquer éviterait beaucoup de conflits et rendrait la vie plus facile aux parents et aux enseignants.

Il fait tout le temps des colères

Laurence s'interroge sur son fils, âgé de 3 ans, en raison des fréquentes colères qu'il fait, selon elle pour des riens. Bien que l'amour qu'elle porte à son fils soit évident, elle en arrive à penser qu'il est plus facile d'élever sa fille. Elle trouve que son fils est capricieux et surtout qu'il réagit à la moindre frustration. « Il me fatigue, dit-elle, mais c'est un garçon, n'est-ce pas la preuve qu'il est en bonne santé ? Il n'empêche que le soir, parfois, je me sens épuisée. »

Première question : quand survient la colère ? Chez le nourrisson, ce sentiment se manifeste en particulier lorsqu'un adulte ou un autre enfant l'empêche de se mouvoir comme il semble le souhaiter. La réponse faciale et motrice caractéristique correspond alors généralement au besoin de surmonter l'obstacle. La colère serait donc un comportement adaptatif, permettant de vaincre ce qui empêche d'accéder au but choisi. Notons que cette définition suppose que le bébé est déjà en possession de certaines connaissances relatives à ses propres capacités. Autre question maintenant : l'apparition de ce sentiment dépend-elle du sexe de l'enfant ? Non, car filles et garçons découvrent la colère approximativement au même âge, entre 2 et 4 mois. Si on s'accorde sur le fait que les cris et les pleurs du tout-petit sont souvent une manifestation attribuable à un protosentiment de colère, néanmoins, rapidement, l'expression de cet affect va différencier les bébés filles des bébés garçons. Les garçons vont, en effet, exprimer plus physiquement et ouvertement leur agressivité que les filles, notamment par des manifestations de colère. Dans une étude, on a demandé à un groupe de parents de tenir un journal où ils noteraient les accès de colère de leur(s) enfant(s), et les événements précédant et suivant ces éclats. Il est apparu que, entre 2 ans et demi et 5 ans, les garçons devenaient progressivement deux fois plus coléreux que les filles !

Pan... Pan... Pan... t'es mort !

Trois garçons âgés de 7 à 10 ans jouent dans le parc sous les yeux de Sophie, la mère du plus âgé et du plus jeune. Ils courent dans tous les sens, ont à la main une courte branche d'arbre qui tient lieu de revolver, « se tirent dessus », se donnent des coups. On les entend dire, sans aucune notion de la gêne qu'ils peuvent susciter chez les autres : « Pan... Pan... Pan... t'es mort ! » Quand l'un d'eux refuse de faire semblant de tomber, le ton monte : « Tu ne joues plus, t'es mort ! » Le récalcitrant n'obtempère pas, il n'est pas question qu'il soit le plus faible, que les autres soient les plus forts et qu'il s'arrête de jouer. Tout à coup, le jeu change ; deux des garçons se mettent à courir après le troisième, qui a tout de suite compris qu'il devait se cacher. Sophie lève les yeux de temps en temps du livre qu'elle est en train de lire.

À quelque distance de là, son mari et un ami à lui, tous deux âgés d'une cinquantaine d'années, jouent au tennis. Tout à coup, Sophie entend son mari crier : « Salaud ! tu m'as eu ! », commentant un joli revers de son partenaire. Sophie songe en souriant : « Tous les mêmes, décidément... » Elle se dit qu'elle n'aurait sûrement pas, avec sa fille, assisté au même jeu ; qu'elle-même, enfant, ne jouait pas à la guerre et qu'elle n'aurait pas eu cette phrase pour son partenaire de tennis. Doit-elle pour autant interdire à ses fils de jouer comme ils le font ? Doit-elle se plaindre des termes qu'utilise son mari sur un court de tennis ? Doit-elle divorcer à cause de cette impolitesse qui souvent l'insupporte ? Mais ne retrouverait-elle pas chez un autre homme ce même défaut ? Évidemment, elle peut dire à ses fils de se calmer lorsqu'ils exagèrent ; elle peut aussi faire remarquer à son mari qu'il ne donne pas le meilleur exemple, mais doit-elle faire plus ? Éduquer un garçon, c'est comprendre qu'il s'agit d'un garçon !

Jusqu'à 1 an, un enfant joue indifféremment avec tout. Passé cet âge, le petit garçon va extérioriser son agressivité dans le choix de ses jouets ou dans l'utilisation qu'il en fait, tandis que la petite fille va contrôler et intérioriser davantage ses impulsions. Vers 18 mois, 27 % des enfants de sexe masculin choisissent d'eux-mêmes le camion ou les petits soldats, et 44 % des filles le landau ou la dînette. Donnez un séchoir pour poupée à une petite fille, elle séchera les cheveux de son « enfant », parfois avec un certain sadisme (« Tu me brûles », lui fait-elle dire). Le petit garçon, lui, aura déjà transformé le séchoir en pistolet...

Plus on est de fous, plus on crie !

Quelle mère n'a pas constaté la différence d'ambiance entre le goûter d'anniversaire de son jeune fils, réunissant plus de garçons que de filles, et le goûter d'anniversaire de sa fille avec les proportions inverses ? Les garçons jouent en groupes, qui se font et se défont, d'où les cris, les conflits et les bagarres ; les filles jouent en groupes plus petits et généralement stables, ce qui favorise l'intimité, l'entente, la coopération et réduit l'hostilité et les risques de conflits ouverts.

Aujourd'hui, on insiste de plus en plus sur le rôle des enfants du même âge dans la différenciation filles-garçons. Ce rôle se ferait sentir à partir de 2 ans. Dès 3 ans, les enfants distingueraient les « sentiments de fille » et les « sentiments de garçon », cette adhésion ayant pour effet de renforcer le conditionnement réciproque des enfants de même âge. Garçons et filles, par le choix et l'organisation de leurs jeux, apprendraient ainsi à se différencier émotionnellement entre eux. À ce propos, deux chercheuses, Virginia Paley et Deborah Tannen ont étudié les jeux de jeunes enfants américains en *nursery school*[3]. Elles ont découvert que les filles s'efforçaient de créer et de maintenir des liens, même au prix d'un effort personnel évident. Ainsi, dès le plus jeune âge, elles n'hésitent pas à mettre en avant leurs propres imperfections et à valoriser les qualités de leurs camarades. Devenues adultes, elles conserveront cette plus grande aptitude à exprimer leurs émotions « négatives » (culpabilité, crainte, sentiment d'humiliation, peine, etc.), ce qui favorise la compréhension et la tolérance face aux sentiments d'autrui. Les garçons, au contraire, choisissent volontiers des situations de jeux où la compétition et l'auto-promotion sont valorisées. Leurs fantasmes de superhéros peuvent ainsi se manifester pleinement.

Les récents travaux de Leslie Brody[4] confirment l'importance des camarades dans le développement affectif de l'enfant. Cette enseignante du département de psychologie de l'Université de Boston a montré que les hommes sont plus chaleureux lorsque leurs sentiments d'amitié vont à une femme et que les femmes se mettent davantage en colère face à un homme. Selon elle, ces différences d'expressions dans l'amitié ou la colère seraient attribuables aux fréquentes interactions entre les deux sexes. Entre deux personnes du même sexe, les tendances naturelles se renforceraient alors qu'elles s'inverseraient entre deux personnes de sexe opposé. Les femmes qui passent plus de temps en compagnie d'autres femmes consolideraient positivement leur affectivité et négativement leur manque d'agressivité. Les hommes en compagnie d'autres hommes feraient le contraire, développant leur agressivité sans s'enrichir d'émotions positives ; ils seraient donc moins habitués à exprimer leur agressivité avec une femme ou à marquer leur affection envers un homme.

Ce phénomène mérite toute l'attention. Il conduit à recommander aux parents et aux enseignants de veiller à ne pas exagérer l'effet des stéréotypes éducatifs. Filles et garçons, hommes et femmes, nos relations seront plus variées si nous nous tournons vers l'autre sexe plutôt que de rester entre nous. Il est donc important que les enfants des deux sexes soient associés aux mêmes jeux ou se retrouvent sur les mêmes bancs d'école, et que parents et enseignants les éduquent ensemble. Faute de quoi, la découverte naturelle de l'autre sexe au cours de l'étape suivante, l'adolescence, risque de provoquer un clivage entre l'attirance physique et sexuelle et la vie affective, la sexualité prenant un chemin, la tendresse et l'amour un autre. Or l'harmonie de ces deux courants, la tendresse et la sexualité, est, si on suit Freud, l'enjeu de la vie affective durant toute la vie.

Pourquoi il tape sur sa sœur ?

Dans leur vie quotidienne, dans leurs jeux, dans leurs échanges avec les autres, les garçons ont incontestablement des comportements plus agressifs. À la maternelle, la fréquence des cris et des pleurs est encore semblable entre 3 et 5 ans, mais les situations qui suscitent ces réactions émotionnelles ne sont plus identiques. Les filles pleurent pour un « bobo » ; les garçons sont davantage sensibles à la frustration, ils supportent plus difficilement qu'un adulte les empêche de jouer ou qu'un objet leur résiste, ce qui confirme un tempérament plus agressif qui va encore s'accentuer avec le temps.

Thomas et sa petite sœur Jane jouent avec un ballon dans le jardin de la maison familiale d'une amie à qui je suis venu rendre visite. Brusquement, Jane arrive en pleurs, quelques cris sont venus du jardin. « Il m'a battue », sanglote Jane qui se réfugie dans les bras de sa mère. Profitant de ma présence, la maman m'interroge : « Pourquoi est-ce que Thomas tape tout le temps sur sa sœur ? Je n'arrive absolument pas à le raisonner ! » Thomas, qui s'est caché quelques instants, arrive à son tour, assez penaud et, avant que sa mère ne s'adresse à lui, déclare, rouge de colère : « Elle ne sait pas jouer ! » Sa mère lui demande tout naturellement, en me prenant à témoin : « Et c'est une raison pour la taper ? » La réplique est juste, mais, de toute évidence, sans effet sur ce garçon de 6 ans qui recommencera dès la prochaine occasion. Janice, la mère des deux enfants, n'insiste pas et demande à Thomas d'aller chercher son jeu favori pour qu'il se calme. « Ah, les garçons… », me dit-elle en soupirant.

Je suis d'accord, les garçons se mettent facilement et brusquement en colère, ils sont volontiers agressifs. Mon métier m'amène souvent à utiliser le dessin ou le jeu comme mode d'expression de leur monde intérieur, et j'observe souvent des scènes de bagarres ou de combats sur terre, en mer, dans la galaxie, avec des revolvers, des mitraillettes, des projectiles… Les jeux imaginés devant moi ou avec moi sont de la même veine. Certains diront qu'il s'agit d'une caricature ou d'enfants à problèmes. Qu'ils fassent donc dessiner ou jouer des garçons de leur entourage entre 3 et 10 ans, et ils verront ! En attendant, que vais-je pouvoir conseiller à Janice ?

Je lui propose une démarche que je défendrai souvent dans ce livre : faire prendre conscience au garçon de ses propres émotions et lui permettre de se les expliquer avant de passer à l'acte. Je lui dis donc : « Tu aurais peut-être pu dire à Thomas : "Tu as l'air en colère et tu as dû être très en colère pour battre ta sœur avec qui tu aimes tellement jouer par moments. Elle a fait quelque chose de grave ?" » Cette petite phrase, en elle-même anodine, témoigne pour moi d'une véritable attitude éducative. Elle permet de ne pas tout de suite tomber dans la critique, ce qui ne sert souvent à rien, car le schéma va se répéter sans fin ; elle permet à la mère de faire implicitement comprendre à son garçon qu'elle s'identifie à lui et, par là même, l'autorise à s'identifier à elle en miroir, ce qui est, en fin de compte, le but recherché ; elle permet, enfin, de faire prendre conscience de l'ordre de grandeur des problèmes : à grande contrariété, grande émotion ; à petite contrariété, petite émotion. Cette attitude n'aura pas d'effet magique immédiat, mais, répétée, elle s'inscrira progressivement dans l'esprit du garçon et l'aidera à devenir, au moins émotionnellement, plus intelligent.

Évidemment, Janice aurait pu aussi dire à Thomas : « Je vais en parler à ton père ! », ou : « J'appelle ton père », ou encore me dire à moi : « Quand son père est là, il est plus calme. » Certes, une mère doit donner sa place au père, en particulier dans l'éducation d'un garçon, mais ce fameux père n'est pas toujours présent et il n'est pas toujours à la hauteur et puis, surtout, il ne doit pas empêcher la mère d'exercer elle aussi une autorité sur son fils. J'ai également fait une suggestion à Janice : « À l'occasion, quand Jane et Thomas joueront ensemble calmement, fais-leur remarquer : "Bravo, c'est gentil de jouer calmement pendant que je travaille dans le salon. Vous me faites plaisir tous les deux aujourd'hui. Et toi, Thomas, je te félicite par rapport à l'autre jour !" »

Il est très important de montrer qu'on apprécie les bons moments et d'encourager ses enfants à se comporter calmement sans pour autant les empêcher de jouer et chercher à ce qu'ils soient tout le temps des anges. La surprise que suscitent ces propos sera d'autant plus puissante que l'enfant ne s'y attend pas. Cela ne doit pas vous empêcher, à d'autres moments, de faire preuve d'une autorité ferme et indiscutable et de punir quand l'événement le justifie ou de brandir la menace de sanction devant un comportement franchement insupportable (et attention : n'utilisez que des menaces que vous êtes sûre de pouvoir appliquer le cas échéant). Pour être efficace, votre réaction doit être graduelle et mesurée ; autrement, l'enfant, et en particulier le garçon, débordé par sa nature, n'écoutera plus et ne fera plus la différence entre un avertissement et une punition, un comportement bénin et une attitude inacceptable. De même, une conduite autoritaire doit s'exprimer clairement et brièvement. Il n'est pas bon d'entendre un enfant dire de façon péjorative : « J'ai eu droit à un de ces sermons ! » Cela signifie le plus souvent qu'il a contourné le sérieux du propos. Pour les garçons plus âgés, en particulier pour les adolescents, l'humour, sans qu'il soit sarcastique, dénoue souvent des situations tendues.

> Olivier, un adolescent de 16 ans réticent à venir me voir, me dit au cours de sa première séance quand je lui demande pourquoi il vient, selon lui, à ce rendez-vous : « C'est pour que ma mère soit la plus heureuse des mères juives ! » Je comprends tout de suite, à son sourire, qu'il fait allusion à l'histoire des trois mères juives comparant la réussite de leur fils, la dernière disant : il parle de moi trois fois par semaine à son psychanalyste, alors que la première n'a pu parler que du 4x4 et la deuxième de la Ferrari qu'ont achetés leurs fils respectifs. Il m'explique alors que c'est en effet cette histoire qui l'a décidé à venir, sa mère la lui ayant elle-même racontée après une dispute mémorable entre eux.

« Maman, c'est la faute à mes neurones ! »

Deux fois plus de jeunes filles que de jeunes gens laissent apparaître ouvertement leur anxiété ; trois fois plus de garçons que de filles se montrent coléreux. À quoi cela tient-il ? Les explications sont complexes. S'agit-il simplement d'une différence de tonus physique ? Les filles seraient-elles moins robustes, ce qui expliquerait leur moins grande agressivité ? Rien n'est moins sûr puisque, dans ses nombreux travaux sur la gémellité, le psychologue René Zazzo a montré que les filles sont plus toniques que leur jumeau et marchent plus tôt.

On est loin aujourd'hui d'avoir tout éclairci. Si le cerveau des hommes n'est pas plus lourd que celui des femmes, comme le pensait Broca au siècle dernier, des chercheurs de l'Université Johns Hopkins ont établi grâce aux techniques d'imagerie cérébrale que les femmes ont plus de matière grise que les hommes dans les deux aires cérébrales associées à la facilité de la parole : le cortex préfrontal dorso-latéral et la première circonvolution temporale. C'est encore plus vrai au niveau de la circulation cérébrale : les femmes activent plus leur circulation cérébrale que les hommes lorsqu'on leur présente des images représentant des situations malheureuses, et cette activation concerne une zone plus étendue du cerveau (notamment dans l'aire limbique droite). Enfin, si les garçons versent moins de larmes, ce n'est pas seulement par orgueil, mais parce que la testostérone, l'hormone mâle, émousse l'expression émotionnelle, inhibe les pleurs et favorise l'expression de l'agressivité.

L'agressivité des garçons est incontestablement liée à l'influence des hormones prénatales, notamment des androgènes, hormones de la masculinité. La preuve nous en est fournie par l'étude d'une malformation congénitale de la glande surrénale qui se rencontre chez les deux sexes et qu'on appelle « hyperplasie surrénalienne ». La glande surrénale est dans l'organisme celle qui sécrète une bonne part des hormones androgènes. La comparaison de petites filles souffrant d'hyperplasie surrénalienne traitée précocement et d'autres fillettes ne présentant pas cette affection a fait apparaître que celles qui étaient « androgénéisées » à leur naissance étaient plus agressives dans les premières années de leur vie. Davantage intéressées par les jeux « musclés », jouant plus volontiers avec les jouets habituellement réservés aux garçons, elles préféraient aussi la compagnie des camarades de l'autre sexe. Les traditionnelles occupations de filles, jeux de poupées ou jeux comprenant un rôle imaginaire de mère, les attiraient moins. Quant aux garçons qui présentaient la même anomalie, ils manifestaient pareillement une plus forte agressivité que leurs camarades masculins ou même que leurs frères, ce qui exclut l'hypothèse d'une simple tendance familiale. Rappelons néanmoins que cette fameuse hormone sécrétée par les testicules et les glandes surrénales, contrairement à une idée reçue, n'est pas spécifique aux mâles, mais qu'elle est aussi produite par les ovaires.

Plus que tout autre organe, le cerveau est le lieu où l'expérience prend corps. De plus en plus de chercheurs s'accordent désormais à penser que les comportements des enfants et des adolescents proviennent en fait de deux facteurs majeurs au niveau physiologique : une spécificité hormonale, mais aussi une organisation spécifique des contrôles cognitifs indispensables à un comportement mature. Pourquoi les garçons s'expriment-ils donc par le physique, crient quand ils jouent et ont des difficultés à évaluer les risques ? Parce qu'il y a, pendant l'enfance mais aussi l'adolescence, un décalage entre le moment où les événements hormonaux (poussée de testostérone) amènent les enfants, en particulier les garçons, à prendre des risques et le moment où interviennent les facteurs céré-braux qui permettent à n'importe quel sujet de réfléchir avant d'agir (élagage neuronal du cortex préfrontal, siège de ce que l'on appelle les fonctions exécutives qui servent en particulier à organiser ses pensées, prévoir, contrôler ses impulsions, peser les conséquences de ses actes). Cette nouvelle perspective qui intéresse déjà les éducateurs devrait, en partie, rassurer les mères.

Doit-on pour autant rejeter les facteurs éducatifs, sociaux et culturels ? L'opposition nature-culture, débat passionné du xxe siècle, est aujourd'hui fortement remise en cause grâce, en particulier, à la découverte d'une plasti-cité cérébrale durant toute l'existence, liée aux conditions de l'environnement. Le cerveau est en remaniement struc-tural permanent en fonction des expériences affectives, cognitives et psychiques de chacun. Ce qui est sûr, c'est que les mamans n'ont généralement aucune peine, disent-elles, à « interpréter » les vocalises de leur bébé. La diffi-culté est de savoir si elles répondent à une émotion réelle-ment ressentie par leur nourrisson ou si leur réponse reflète leur propre système de croyances. C'est un point important pour qui essaie d'évaluer le rôle des parents dans la maturation progressive des enfants. « Regardez comme il est fier ! » dit cette maman de son fils, qui, toute à la fierté qu'elle éprouve, oublie que son enfant est, lui encore, incapable d'un tel sentiment. Comme la honte, la culpabilité, le mépris ou l'embarras, la fierté n'apparaît en effet qu'entre 1 an et demi et 3 ans, âge où l'enfant a acquis l'indispensable conscience de soi et intériorisé certaines normes et règles sociales.

Tout parent attribue à son enfant des émois qu'il est encore trop jeune pour ressentir. Cela ne constitue en rien un obstacle à son bon développement, à moins qu'en raison de projections préconscientes ou inconscientes, la mère ou le père, plus rarement les deux, ne lui prête systématiquement un sentiment qui ne correspond pas à ce qu'il éprouve. De toute façon, cette projection parentale favorise le développement dans tous les domaines et, en particulier, dans les processus émotionnels de socialisation, c'est-à-dire dans la capacité à comprendre et à se faire comprendre, et dans le plaisir et le déplaisir trouvés dans les relations humaines.

Bien évidemment la différenciation des sexes est également influencée par le contexte culturel. Dès la plus tendre enfance, on attribue aux fillettes et aux garçons des caractères émotionnels différents. Un conte de fées ne leur est pas raconté pareillement. Des études ont montré que les mères sont plus expressives avec leur bébé de sexe féminin. L'influence de l'éducation et de l'environnement social est si forte que, dès l'âge de 2 ou 3 ans, les enfants manifestent une identité sexuée, se comportant « en fille » ou « en garçon », comme cela est attendu d'eux. Dans le développement des émotions, le rôle du contexte et en particulier du contexte familial est capital. L'éducation favorise les dispositions affectives naturelles très précocement, comme le prouve l'expérience suivante. On projette l'image d'un bébé de 9 mois en pleurs et on interroge un groupe d'adultes des deux sexes : « Pourquoi ce petit garçon pleure-t-il ? » « Parce qu'il est en colère », répondent généralement ces hommes et ces femmes. On reprend la même photographie, on la présente à un groupe identique. « Pourquoi cette petite fille pleure-t-elle ? » demande-t-on alors. « Parce qu'elle a du chagrin... » Ainsi, l'interprétation d'une même image a varié en fonction du sexe du bébé. Comment mieux prouver la force des stéréotypes culturels ? Au cours des premières semaines de la vie de leur enfant, les parents adoptent un comportement différent, largement dicté par le sexe du bébé. Pères et mères privilégient ainsi davantage les face-à-face et les interactions affectives vocales avec leur petite fille qu'avec leur garçon. Ils manifestent avec elle des émotions plus fréquentes et plus variées. C'est avec elle qu'ils parlent plus volontiers de choses tristes, gardant la colère ou la violence pour leur fils.

Dans le même ordre d'idées, on a observé les interactions d'une mère et de son enfant entre 2 mois et demi et 22 mois, et on a pu remarquer que les mamans manifestaient, lorsqu'elles jouaient avec leur petite fille, davantage d'émotions et en particulier d'émotions positives. On s'est également aperçu que les mères répondaient « en miroir » aux expressions émotionnelles de leur fils, alors qu'elles répondaient plus facilement à leur fille avec une expression émotionnelle différente. Enfin, même si elles adorent leur petit garçon, les mamans sourient davantage à leur fille qu'à leur fils, qui le leur rendent bien. Globalement, les mères sont donc plus expressives avec leur bébé fille, qu'il s'agisse du nombre ou de l'intensité des émotions manifestées. On comprend mieux que les filles acquièrent vite une palette émotionnelle plus large et que les émotions

qu'elles expriment dès l'âge de 7 mois soient plus fréquentes et plus variées.

Même si la tendance à différencier filles et garçons dès le
plus jeune âge est forte chez les deux parents, les comportements des pères et des mères ne sont pas semblables en
tout point. Les pères questionnent ou menacent davantage,
surtout leur garçon. Ils interrompent plus fréquemment
leurs enfants, leur parlent de façon plus abstraite,
emploient davantage de termes péjoratifs. Remarquons que
ces caractéristiques se retrouvent à l'identique dans les relations masculines qui se nouent à un âge plus avancé. En
retour, les enfants, garçons et filles, une fois en âge de parler, avouent qu'ils confieraient probablement plus volontiers leur tristesse et leur colère à leur mère qu'à leur père.

Les phénomènes d'identification montrent là toute leur
force. Hommes et femmes souhaitent inconsciemment servir de modèles, au risque parfois de reproduire, sans s'en
apercevoir, des schémas qu'ils combattent consciemment.
Par exemple, une mère amenée à parler de l'agressivité ou
de la colère le fera différemment avec sa fille ou son fils.
Dans le premier cas, elle essaiera de restaurer la concorde
et invoquera volontiers les sentiments de l'autre. « Sois
gentille, fais la paix », conseillera-t-elle pour finir. Rien
d'étonnant que les femmes soient globalement plus « relationnelles » que les hommes ! C'est un tout autre discours
que la mère tient à son fils. Elle ne cherche plus alors à
rétablir à tout prix l'entente passée et va même jusqu'à
accepter que son enfant nourrisse le désir de se venger :
« Défends-toi », lui dira-t-elle.

Les parents de tout-petits trouvent déjà spontanément
que leurs filles sont plus douces, plus jolies, plus délicates
et leurs garçons plus alertes, plus robustes. Plus tard,

lorsque leurs enfants grandissent, ils les poussent à mener des activités différentes, selon qu'ils appartiennent à l'un ou l'autre sexe. À la maison, les parents encouragent leurs filles à jouer à la poupée ou à danser, ils les incitent à proposer leur aide et leur demandent de les accompagner ; en revanche, ils cherchent à les calmer dès qu'elles se mettent à courir dans tous les sens ou à sauter dans la maison. Avec leurs garçons, ils ont un autre comportement et ils n'hésiteront pas à les détourner des jouets de fille et à les pousser vers des jeux plus masculins, voitures ou cubes.

Sur ce fond de similitude globale, des différences d'attitude entre les pères et les mères apparaissent toutefois, notamment celle dégagée par deux chercheurs, Lapouse et Monk[5]. Ainsi, ce sont les pères qui, généralement, encouragent les manifestations d'affection de leur petite fille (le contre-œdipe des pères est plus précoce qu'on ne l'imagine) et qui s'opposent à ce que leur garçon joue à la poupée (peur de leur bisexualité refoulée ?) ; ce sont les mères, en revanche, qui insistent surtout pour que leur fille aide les autres enfants. Autre point commun assorti d'une nouvelle différence : on a constaté que, à partir des livres d'images qui leur étaient confiés, les parents d'enfants en âge préscolaire racontaient les histoires différemment selon que le récit s'adresse à une fille ou à un garçon. Les pères utilisent davantage de termes émotionnels quand ils s'adressent à leur fille, évitant seulement le mot « dégoût » ; les mères font de même, mais éviteront tous les termes évoquant l'agressivité ou la colère.

Quand on sait que, par ailleurs, à l'école aussi, les comportements des enseignants varient en fonction du sexe de l'enfant et, par exemple, que lors d'interactions, les éducateurs sourient davantage et manifestent plus d'affection

aux petites filles qu'aux petits garçons, on conçoit à quel
point le monde que nous offrons à nos enfants devient progressivement de plus en plus sexué. L'observation des
bébés, filles et garçons, montre une vie émotionnelle initialement comparable, se développant et se différenciant peu
à peu. Dans cette distinction croissante, l'influence des
« projections parentales » sur l'attribution féminine ou
masculine des affects est plus importante qu'on ne l'imagine souvent. En témoignent de nombreuses expériences,
dont celle-ci. Des hommes et des femmes à qui on demandait de juger des traits de personnalité significatifs de l'un
ou l'autre sexe (quel sexe est bruyant ? quel sexe coopéra-
tif ? quel sexe affectueux ?) affirmaient ne faire aucune
distinction entre les bébés filles et les bébés garçons. En
revanche, ces mêmes adultes à qui on demandait d'inter-
agir avec les bébés au moyen de jeux, de vocalises ou par
des contacts, laissaient apparaître dans leur comportement
des différences « sexuées ».

Au total, puisque, consciemment, nous pensons ne pas
faire de différence, mais que, inconsciemment, nous nous
comportons différemment selon le sexe de l'enfant, notre
devoir d'adultes est de veiller à ne pas être dupes de nos
propres schémas et de modérer tout excès pouvant insuffi-
samment préparer un garçon à la société de demain, plus
exigeante sur la question de l'égalité des sexes. Dès le plus
jeune âge, le partage des émotions facilite la vie ; il prépare
aussi pour l'avenir.

Chapitre V

MÈRE-FILS, MÈRE-FILLE :
QUELLES DIFFÉRENCES ?

Bébés, puis enfants, nos parents nous ont traités diffé-remment, selon que nous étions de l'un ou de l'autre sexe ; devenus à notre tour parents, voilà que nous faisons de même. Pas facile de démêler la part du biologique et la part du culturel, d'autant que chaque individu est unique, expri-mant ou n'exprimant pas ses émotions à sa façon. Toute-fois, qu'on le veuille ou non, il y a quelques constantes, et mieux vaut pour les mères connaître les émotions, le comportement, les désirs de leurs garçons pour ne pas projeter à tort des émotions et des attitudes qui ne sont pas celles de leur sexe.

À ce propos, préparant ce livre, j'interrogeai des amies qui étaient mères d'enfants des deux sexes. Systémati-quement, je leur posai la question suivante : « Quelle diffé-rence ressens-tu dans tes relations avec ton fils et tes rela-tions avec ta fille ? » Parmi toutes les réponses que j'obtins, une amie me répondit d'emblée : « C'est le jour et la nuit. Avec mon fils, on se parle peu, mais c'est fusionnel ; avec ma fille, c'est plus compliqué, on se parle beaucoup mais on se compare tout le temps. »

Ces dernières décennies, la relation mère-fille a suscité beaucoup plus d'intérêt et donné lieu à beaucoup plus d'ouvrages que la relation mère-fils. L'importance récente accordée à la place des femmes et à l'égalité des sexes en est sûrement une des raisons, comme les excès des théoriciennes d'outre-Atlantique[1] qui semblent avoir rendu taboue la question de l'amour entre une mère et son fils[2]. Une explication anthropologique doit aussi être invoquée : plus une société dépend d'une économie agricole, plus elle sollicite des esprits et des divinités liés à la fertilité et à la guerre ; c'est la vieille histoire de la cueillette et de la chasse. Pendant des siècles, peut-être des millénaires, la relation mère (fertile)-fils (fort) a nourri l'imaginaire collectif et produit d'innombrables représentations symboliques jusqu'au milieu du XXe siècle. On est passé, au cours de ces cent dernières années, d'une société à dominante agricole à une société de service, et les valeurs « féminines » (langage, conciliation, partenariat, sensibilité) sont désormais valorisées dans les champs culturel, éducatif, social, mais aussi économique. La transmission de mère en fils a, enfin, trouvé une place et une valeur officielles.

Et avec les filles, me direz-vous, les mères n'ont-elles pas les mêmes aspirations ? Certes, les femmes d'aujourd'hui s'accomplissent d'abord par elles-mêmes, puis à travers la réussite de leurs enfants, quel que soit leur sexe. Les mères des années 1960 ont eu besoin de dire à leur fille, pas à leur fils : « Il faut que tu travailles. Sinon, tu seras dépendante et tu perdras ta liberté », mais, dans le désir naturel et normal qu'ont les mères de voir leur enfant, fille ou garçon, s'épanouir, des sentiments plus inconscients sont à l'œuvre.

Le pédiatre Aldo Naouri a parfaitement montré la force de l'ambivalence dans la relation mère-fille, relation faite d'intime complicité et de rivalité inconsciente. Les relations mère-fille ne sont pas de même nature que les relations mère-fils, et ce dès les premiers jours de vie, voire avant la naissance. Des études ont montré que les mères ne touchaient et ne portaient pas de la même façon une petite fille et un petit garçon. Avez-vous déjà entendu une fille dire : « Plus tard, je veux me marier avec maman ! » ? Non ; en revanche, de la part des garçons...

La différence fille-garçon porte surtout sur les attentes et les identifications. Une fille attend avant tout de sa mère qu'elle ne se substitue pas à elle. Avec sa fille, une mère revit sa propre histoire. L'intuition est au premier plan de cette relation, avec les erreurs que comporte toute compréhension intuitive. Quand la fille construit sa propre identité, des rivalités et des frustrations peuvent surgir.

> Une fille est habitée, plus fréquemment que les mères ne le croient, par la crainte que sa mère se substitue à elle. Sandrine, une jeune femme de 35 ans, me rappelait souvent ce souvenir pour m'expliquer les relations difficiles qu'elle avait avec sa mère et dont elle n'avait jamais pu parler simplement : la manière dont sa mère choisissait ses robes lorsqu'elle était enfant. Sa mère, très élégante et toujours très soucieuse du paraître, l'habillait « comme une petite princesse », ce qu'elle détestait et dont elle avait honte à l'égard de ses amies de classe.

De son côté, un garçon attend avant tout de sa mère qu'elle le comprenne à demi-mot. Elle représente une sorte de « modèle » féminin qui ne doit pas lui faire peur, car il

lui faudra, plus tard, le transposer sur d'autres femmes. À
sa mère justement de l'aider peu à peu à se détacher d'elle,
de lui donner envie de se tourner, un jour, vers une autre
femme. Si, avec un garçon, une mère ne doit pas craindre
l'amour qu'elle lui porte ni la séduction qu'elle exerce sur
lui, elle doit respecter sa pudeur et sa gêne spontanée
quand il s'agit pour lui d'exprimer sa sensibilité et ses émotions les plus intimes.

Comprendre ses émotions

Les émotions constituent le socle de la communication
humaine. Tous les enfants naissent avec la capacité
d'exprimer la joie, la peur, la colère, la tristesse, le dégoût,
la surprise, mais c'est progressivement que va se faire
l'émergence de ces différentes émotions. Depuis vingt-cinq
ans, Michael Lewis, professeur de psychologie à l'Institut
d'étude du développement de l'enfant à l'Université du
New Jersey, étudie le développement des émotions chez le
bébé et le jeune enfant. Aucun doute possible selon lui : au
tout début de son existence, un petit homme ne manifeste
que trois types d'émotions. Il y a la satisfaction, première
forme de joie, marquée par la satiété et la réponse positive
aux stimulations ; l'intérêt, précurseur de la surprise, qui
s'exprime par l'attention portée à l'entourage ; enfin, l'insatisfaction que traduisent les cris et l'agitation.

L'insatisfaction est sans doute le précurseur de nombreux autres affects négatifs : la tristesse observée comme
telle dès l'âge de 3 mois lorsque les mères cessent de jouer
avec leur bébé ; le dégoût qui apparaît dans sa forme pri-

mitive lorsque le bébé recrache ou rejette ce dont le goût lui déplaît ; la colère qui se manifeste généralement entre 2 et 4 mois ; enfin, la peur proprement dite qui, contrairement à ce que les adultes imaginent à tort, ne peut apparaître avant l'âge de 5 mois puisqu'elle exige, pour être éprouvée, des acquisitions cognitives permettant d'évaluer les situations.

Chacun sait que les premiers signes d'émotivité ou de détresse chez le bébé se manifestent par des cris et des pleurs. Angoisse ou colère ? Difficile à dire jusqu'à l'âge de 4 ou 5 mois, mais difficile aussi de se tromper : Monsieur ou Madame Bébé n'est pas content. Or la plupart des études menées ont montré qu'au cours de la première année, les bébés des deux sexes crient et pleurent avec la même fréquence. De même, les réactions à la séparation et les différents comportements d'attachement qui seraient, aux dires de certains, transmis génétiquement et seraient donc « naturels » sont parfaitement identiques chez les bébés filles et chez les bébés garçons. Toute maman, toute puéricultrice sait pourtant qu'une petite fille ou un petit garçon n'exprime pas ses émotions de la même manière. Observés attentivement, les bébés montrent, dès leur naissance, des comportements émotionnels spécifiques, différents et bien marqués suivant leur sexe. Les garçons sont, dès les premiers mois, d'humeur changeante ; ils sont aussi plus difficiles à consoler. Les filles, en revanche, sont émotionnellement plus stables ; elles sourient et vocalisent avant et plus souvent que les garçons. Elles disposent, pour exprimer leurs émotions et se faire comprendre, d'une gamme plus large de mimiques. Elles expriment, enfin, davantage leurs émotions dans les relations qu'elles entretiennent avec leur entourage.

N'en doutons pas, nos petites filles sont apparemment plus aptes à la communication interhumaine ; elles parleront, du reste, plus tôt et mieux. L'avantage leur revient également lorsqu'il est question du développement des sens. À peine âgées de quelques heures, les filles manifestent une grande réceptivité aux émotions de leur entourage immédiat, répondant par exemple aux pleurs d'un autre bébé alors qu'un garçon y prêtera moins d'attention. Comment expliquer cette meilleure « communication émotionnelle » des filles ? Les résultats, bien qu'anciens, de l'étude menée par Cunningham et Shapiro, méritent d'être rapportés. Ces deux chercheurs ont établi que les bébés garçons étaient plus intensément, ce qui ne signifie pas plus fréquemment, expressifs que les bébés filles. Pour se faire entendre, les petites filles seraient en grandissant obligées d'amplifier leurs expressions émotionnelles. Elles « apprendraient » à travailler plus intensément pour communiquer leurs émotions dont la manifestation serait spontanément moins bien comprise. Cela pourrait en partie expliquer pourquoi les filles, puis les adolescentes et les femmes, savent mieux exprimer leurs émotions ou reconnaître celles d'autrui. Toutes petites, elles ont dû apprendre à s'intéresser aux expressions de leurs proches afin de s'assurer que leurs propres sentiments seraient pris en compte.

Une mère communiquant avec son fils doit-elle prendre en compte que garçons et mères ne parlent pas à ce niveau exactement la même langue et que, au-delà de la différence d'âge, chaque sexe possède sa propre culture affective ? Si une mère a un fils et une fille, elle aura déjà constaté par elle-même que sa fille n'est en fait pas plus émotive que son fils, mais qu'elle communique mieux ses sentiments.

La différence affective entre les sexes est en effet, pour l'essentiel, une différence d'expression.

Deux voies permettent à une mère de comprendre les sentiments profonds que ressent son fils : la reconnaissance des similitudes d'expression entre ses sentiments et ceux de son fils et, d'autre part, l'écoute des différences. Certes, une mère peut être proche de son fils par les émotions qu'ils ressentent, mais l'expérience intime qu'ils en font et surtout les modalités d'expression qu'ils adoptent les éloignent. Il n'empêche : cette mère sera capable de se mettre à la place de son fils et de percevoir ses émotions et ses réactions ; si elle sait décoder, elle est capable d'identification et d'empathie.

> Richard rentre de l'école, la mine sombre, boudeur, refermé sur lui-même, refusant de parler. Sa mère qui l'accueille perçoit tout de suite qu'il s'est passé quelque chose. Ce ne sont pas des mots ou des explications qui lui permettent immédiatement d'avoir ce sentiment ; c'est une attitude générale, un comportement. En retour, si elle cherche aussitôt, ce qui serait logique, à savoir ce qui est arrivé, si elle demande à son fils d'expliquer ce qui s'est passé, elle court le risque, comme c'est un garçon, de ne jamais avoir l'explication ou que son garçon se ferme encore plus. Plutôt que de lui dire : « Qu'est-ce qui s'est passé ? », il vaut mieux qu'elle ne lui pose pas de question, et qu'elle mette elle-même en mots ce qu'elle-même ressent. Par exemple : « Je me fais du souci quand je pense que tu as pu passer une mauvaise journée. » Alors Richard pourra dire plus facilement ce qui le tracasse, peut-être pas immédiatement, mais tôt ou tard, quand il se sentira moins submergé par l'émotion.

En fait, garçons et filles partagent les mêmes émotions ; joie, colère, angoisse, tristesse ne sont pas le privilège d'un sexe, mais garçons et filles n'expriment pas leurs émotions, en particulier leurs émotions douloureuses, de la même façon. Au moment d'un divorce par exemple, si une fille a peur de se sentir abandonnée par sa mère, elle l'exprimera directement : « J'ai peur que tu m'abandonnes. » Un garçon exprimera cette crainte souvent différemment ; il pourra devenir agressif à l'école ou, au contraire, se replier sur lui-même. Comme la mère de Paul me le racontait un jour, il arrive aussi qu'il se colle à sa mère en lui posant une série de questions anodines, mais en fait, pleines de sens...

> « Pourquoi il y a des enfants adoptés ? » demanda Paul à sa mère en rentrant un soir de l'école. Sa mère lui répondit : « En voilà une drôle de question ! Pourquoi me demandes-tu cela ? » Paul continua, sans aller directement au fait, comme le font volontiers les garçons, plus pudiques qu'on ne le croit : « Mais est-ce qu'il y a des pays où l'on abandonne plus les enfants que d'autres ? » La question paraissait générale, et il fallait la décoder : ce garçon s'inquiétait de la suite des événements liés à la séparation de ses parents. La réponse devint alors plus claire pour la mère de Paul qui déclara : « Ne te fais pas de souci, ta mère ne t'abandonnera jamais ; tu resteras toujours son fils chéri. » Paul fut incontestablement rassuré et cessa d'être dans ses jupes.

La tristesse est aussi une émotion difficile à exprimer pour un garçon.

> David est malheureux dans son nouveau collège. Il n'arrive pas à se faire d'amis. Sa mère Laurence s'en inquiète. Par l'intermédiaire d'une de ses amies, maman d'un garçon du même âge et du même collège mais scolarisé dans une autre classe, elle réussit, après en avoir parlé à son fils, à inviter Gary au ski pour les vacances. La relation entre les deux garçons ne se passe pas bien : Gary skie mieux que David et s'intéresse déjà beaucoup aux filles... La maman de David est triste pour son fils, mais trouve

qu'il ne fait pas beaucoup d'efforts pour se mettre au diapason, elle se dit qu'elle s'est donné beaucoup de mal pour rien. Un soir, elle lui avoue : « Écoute, tu n'as plus 5 ans, tu n'auras pas toujours ta mère derrière toi pour te faire des amis. » Aussitôt, David sort du salon, s'enferme dans sa chambre, qu'il partage avec son ami, et ne veut plus ouvrir. Laurence entend des pleurs derrière la porte. Elle se sent coupable et se dit qu'elle aurait mieux fait de comprendre les difficultés de son fils dont elle connaît, du reste, une des origines : son mari est lui-même un grand timide, assez « sauvage » comme elle dit, et qui exprime très peu ses sentiments. Les chiens ne font pas des chats, elle le sait, mais elle n'a pas pu malgré tout retenir son agacement envers son fils et, plus profondément, envers son mari. Cette mère a raison de penser qu'elle aurait mieux fait de dire à David : « Tu dois te dire que ces vacances sont ratées, tu dois être furieux ou malheureux, mais ne t'inquiète pas : chaque garçon est différent et on essaiera la prochaine fois de mieux réfléchir à l'ami que tu souhaites inviter. » Accuser, critiquer ou blâmer ne sert à rien en ce domaine ; en revanche, s'identifier aux sentiments de l'autre, même s'ils sont exprimés différemment qu'on ne le ferait, permet d'éviter bien des impasses. David est en effet triste de ne pas avoir pu se faire un nouvel ami en vacances ; il est aussi honteux d'avoir déçu sa mère, mais, cela, il ne peut pas le dire. Plus encore, il sait qu'il ressemble à son père et il est furieux contre lui-même mais aussi contre cet homme qu'en même temps il admire.

Comprendre la manière dont les garçons expriment ce qu'ils ressentent n'est pas toujours facile pour une mère – ni pour une épouse d'ailleurs. L'inverse est aussi vrai, à ceci près que les filles et les femmes expriment mieux leurs émotions. Si les uns et les autres pouvaient être persuadés de cette évidence, on éviterait bien des conflits, bien des déceptions. Les clichés, même s'ils ont la vie dure, sont parfaitement inefficaces ici : non, il ne suffit pas de s'aimer ou de passer plus de temps ensemble pour résoudre les problèmes.

Mieux vaut comprendre comment chaque être humain
communique ce qu'il ressent et connaître, tout en prenant
en compte les spécificités individuelles, les grands types utilisés par l'un ou l'autre sexe pour exprimer ses émotions[6].
En définitive, la règle générale pour la mère d'un garçon est
de décoder des sentiments de son garçon avant de juger son
comportement (d'autres s'en chargeront trop volontiers) ;
c'est, du reste, ce que font en général les mères. Et les garçons le savent bien, même si, parfois, chacun l'oublie.

Comprendre son comportement quotidien

Quand un garçon parle ou pose des questions, ses propos portent plus souvent sur un événement ou un comportement que sur les implications d'une relation. Un garçon
dira qu'Aurélien l'embête en classe, il ne dira pas qu'il ne
s'entend pas bien avec lui ou qu'ils n'ont pas les mêmes
goûts et les mêmes intérêts. Il évoquera les jeux organisés
pour la fête de son école, il n'évoquera pas les différents
préparatifs auxquels il a participé. Les mamans, elles, vont
justement s'intéresser volontiers à ce dont leur fils ne leur
parle pas volontiers. Ce qui explique que les échanges, de
temps en temps, deviennent conflictuels, même quand le
sujet est sans enjeu majeur. De même, l'attitude d'un fils
peut paraître insouciante, irresponsable et, à la limite,
impolie : les garçons ne savent pas toujours bien dire bon-
jour, au revoir ou merci ; ils laissent traîner leurs affaires
dans la salle à manger, ils ne participent pas aux tâches
ménagères ou le font en râlant. Sont-ils mal élevés pour
cela ? Non, il faut simplement leur apprendre que la poli-

tesse passe aussi par des mots d'usage, mais cet apprentissage doit se faire lui-même poliment. Il est inadapté de reprendre son fils brutalement si le but est de lui faire remarquer qu'il n'a pas remercié les invités qui lui ont apporté un cadeau. Quant au sens des responsabilités, une manière de l'inculquer progressivement à un enfant est de le confronter précocement à des choix simples de la vie quotidienne, lui apprenant par là même que choisir, c'est aussi renoncer : entre prendre une glace ou un gâteau, travailler avant le dîner ou après, inviter tel ami ou tel autre, il faut se décider et accepter de perdre.

> Alexandre et son ami Thomas continuent de jouer au ballon dans le salon, alors que la mère, Florence, leur a pour la troisième fois demandé d'arrêter. À bout de nerfs, elle pose un interdit clair : « Non, c'est non, et c'est maintenant », mais, au fond d'elle-même, elle s'en veut terriblement de devoir interrompre le jeu de son fils avec son ami. Une autre solution était pourtant possible, leur laisser un choix et leur dire : « soit vous voulez continuer de jouer, mais vous allez jouer dehors sur l'herbe ; soit vous trouvez un autre jeu et vous restez à la maison ».

La bonne conduite, la politesse et le sens des responsabilités sont à la fois liés au caractère et à un apprentissage social. On ne peut pas attendre la même attitude d'un garçon très extraverti, toujours en mouvement, vivant dans l'instant et d'un garçon calme, posé et s'exprimant bien, mais l'un et l'autre doivent apprendre à respecter autrui et se plier aux usages sociaux. Dans cette éducation, le père et la mère sont concernés, et l'intérêt est qu'ils peuvent faire passer le message différemment, selon leur tempérament et leur rôle respectif. Si le père ne montre pas l'exemple, il est évident que la mère aura les plus grandes difficultés à faire passer le message ; si le père comprend que son attitude aide à l'identification et constitue un support essentiel, la mère pourra demander ce qui lui paraît bien sans que son garçon le prenne comme un ordre ou une corvée. Aucun enfant ne naît avec un sens inné de la politesse ou des responsabilités, et ces qualités qui s'acquièrent à un âge déterminé s'apprennent, comme le calcul, le violon ou le tennis, avec de la patience et, parfois, de l'obstination.

Comprendre ses comportements à risque

Il n'y a pratiquement aucun trait de comportement, aucun état affectif, aucune difficulté qui ne présente une prévalence et une incidence différentes selon le sexe, garçon ou fille, qu'il s'agisse de plaintes somatiques, de pensées dépressives, de troubles de la conduite alimentaire, de conduite externalisée, d'accidents et de prises de risque ou de toxicomanie. Cette dernière variable l'emporte souvent sur toutes les autres. En outre, l'incidence évolue avec l'âge de façon différente, si bien que l'écart entre les sexes tend souvent à s'accroître de l'enfance à l'adolescence et au cours de l'adolescence elle-même (tableau I)[4].

Toutes les mères savent que les garçons ont des comportements à risque plus fréquents que les filles, et toutes les études le confirment. Dès petits, les garçons « font plus de bêtises » ; ils bougent plus, ont des jeux plus physiques, se bagarrent parfois violemment et transgressent les interdits de façon beaucoup plus intense que les filles. À l'adolescence, âge où l'attirance pour le risque est présente et forte, ces différences sont particulièrement marquantes.

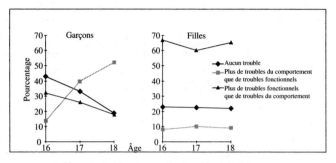

Tableau I : Prédominance des troubles à l'adolescence

Trouble fonctionnel = plainte somatique, état effectif, conduite alimentaire ; trouble du comportement = conduite agie, accident, consommation de produit

La consommation régulière et encore plus la consommation abusive de tabac et surtout d'alcool et de drogue va en particulier distinguer nettement les garçons des filles (tableau II)[5].

Comment comprendre ces données ? Qu'est-ce qui peut susciter chez les garçons un attrait pour le risque plus grand que chez les filles ? Mon point de vue, ici, ne peut être que général, et il y a pour tous les aspects que je vais développer des différences intra-sexes, pas seulement inter-sexes. Ainsi, il y a des filles « casse-cou », on dira du reste que ce sont des garçons manqués, et il y a des garçons « peureux ». Néanmoins, quelques pistes permettent de comprendre ce qui fait que les garçons ont *en général* une propension plus grande que les filles à se mettre en danger.

– Le fait de ne pas considérer les données que la situation contient et donc les dangers qui peuvent survenir.
– Le fait d'être trop impulsif et de ne pas savoir suffisamment prendre son temps.

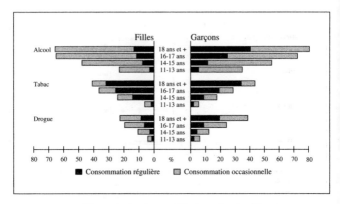

Tableau II : Pratiques addictives chez les filles
et les garçons à l'adolescence

– Le choix du comportement qui donne le plus de sensations et qui permet de lutter le plus contre l'ennui.
– Une tendance spontanée à ne pas demander conseil et
à ne se fier qu'à son propre jugement ou son propre
instinct.
    Revenons sur ces différents points.
    Les garçons n'ont généralement pas le souci d'observer
attentivement le contexte dans lequel ils se trouvent, ils se
jettent volontiers « tête baissée » dans ce qui les attire. Ici
intervient un élément que l'on peut qualifier de cognitif,
différenciant les filles des garçons. Les filles, dès leur
enfance, montrent une plus grande capacité à relever
implicitement tous les éléments en jeu dans une situation
donnée. C'est une des raisons de leur plus grande « intuition ». Elles sont donc mieux préparées pour évaluer les
risques d'un comportement.

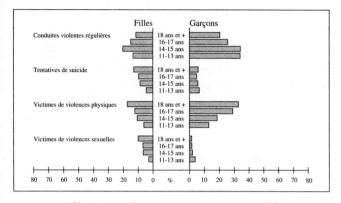

Tableau III : Violences et comportements impulsifs
chez les garçons et les filles

De même, les garçons sont incontestablement plus impulsifs, ils n'aiment pas prendre leur temps, ce qui peut même constituer à l'excès un défaut de patience. Ils réagissent plus brutalement, sans réfléchir, et plus violemment contre les autres (tableau III)[6]. Est-ce pour cela que, à l'adolescence, les idées et les gestes suicidaires sont plutôt féminins et les suicides réussis plutôt masculins ?

Les garçons se distinguent également des filles par leur propension à rechercher de nouvelles sensations et une plus grande sensibilité à l'ennui. Combien de mères ont entendu leur fils répéter : « Maman, je m'ennuie ! », et, pour retrouver des sensations et lutter contre cet ennui, qu'y a-t-il de mieux que de rechercher des sensations menant évidemment par moments à prendre des risques ? L'importance des conduites alcooliques ou toxicomaniaques chez les garçons va dans ce sens. Les garçons ont plus tendance à agir qu'à agir avec sûreté, même si le danger de telle ou telle situation prend un sens différent suivant les individus. Par exemple, conduire en état d'ivresse n'a pas la même signification pour un adolescent qui est confronté à son ambivalence à l'égard d'un parent alcoolique que pour celui qui n'est pas dans cette situation.

Dernier point : parler pour demander conseil, s'appuyer sur d'autres plus expérimentés est une attitude qui n'est pas naturelle à un garçon, toujours partant pour montrer qu'il est le plus fort et prêt, pour cette raison même, à faire une « bêtise ».

Vue sous ce jour, l'adolescence, période par excellence des conduites à risque, est donc bien une étape particulière de l'existence, notamment à cause des aspects psychologiques qui s'y manifestent, avec des attitudes spécifiques marquées et plus nettes chez les garçons que chez les filles. Prenons un exemple : pousser son corps à l'extrême, c'est ne pas prendre son temps, ne pas opter pour l'action la plus sûre, ne pas se donner les moyens d'obtenir le maximum d'informations. C'est aussi, on le sait, une des dimensions fantasmatiques fondamentales de l'adolescence. Toutefois, certains garçons de cet âge vont en chercher activement la réalisation dans des conduites tout à fait socialisées, en optant pour tel ou tel sport, et parfois s'adonner à des conduites dangereuses sur le plan privé, par exemple en ne prenant aucun contraceptif ou en jouant avec le risque de maladie sexuellement transmissible[7].

Une perspective « anthropologique » peut aussi enrichir notre vision de l'adolescence. Quelles que soient les cultures et les époques, le passage qu'est l'adolescence s'associe toujours à une idée de risque. Certains lui sont intrinsèquement liés et sont, pour ainsi dire, obligés :

chaque être humain est destiné à traverser cette période de la vie pour se tourner vers un futur dans lequel les interrogations sur l'avenir, qu'elles soient personnelles, physiques, sociales ou psychologiques, sont très importantes. C'est le moment où un jeune garçon, ou une jeune fille, prend conscience des incertitudes qui pèsent sur l'avenir et mesure que sa vie va devenir un futur conditionnel et un futur à risque. D'une certaine façon, on peut voir les conduites à risque de l'adolescence comme des équivalents, dans nos sociétés contemporaines, de rites de passage qui ont disparu. De façon significative, dans les sociétés traditionnelles, les cérémonies de passage pour les garçons et pour les filles ne sont pas les mêmes et, pour les garçons, le plus souvent, ce sont des rites « publics », tout comme les conduites toxicomaniaques et les accidents de la route aujourd'hui. Les rites de passage pour les filles sont différents. Ils sont « privés », moins collectifs, ils ont plutôt un caractère personnel ou intime et véhiculent des idées de création plutôt que de destruction ou d'autodestruction, la grossesse étant un exemple caractéristique. Si, au moment de cette initiation féminine, certaines sociétés renforcent brutalement et violemment l'opposition phallus/non phallus, parfois au moyen d'une clitoridectomie, le plus souvent, c'est la transmission directe de mère à fille de la fonction procréatrice qui est au cœur du rituel (premières règles, mariage, grossesse, accouchement, etc.)[8]. Il n'y a donc pas de séparation radicale d'avec la mère, mais un lien direct avec la gestation rattachant à l'identité féminine de naissance. Cette comparaison entre le comportement de nos adolescents contemporains et les rituels de passage anthropologiques et sociaux, si on l'accepte, éclaire de façon origi-

nale les différences garçons-filles en matière de conduites
à risque.

Mais que faire, me direz-vous, quand on est la mère d'un
garçon et qui plus est d'un garçon qui tend à se complaire
dans des comportements sources d'angoisse parce que ris-
qués ? Faut-il éduquer ? accompagner ? Sans doute les
deux. De façon instructive, les compagnies d'assurance qui
n'ont pas pour vocation à prendre des risques et qui ont
même plutôt le souci de s'assurer elles-mêmes ont constaté
que les jeunes qui avaient participé à l'action « conduite
accompagnée » avaient beaucoup moins d'accidents au
cours des deux premières années que les jeunes qui condui-
saient directement après avoir passé leur permis à 18 ans.
Il y a là, en termes de prévention et de réflexion plus générale, un enseignement intéressant. Ce n'est pas en éduquant
« intellectuellement » un adolescent sur le code de la route
ou sur telle mesure législative qu'on est le plus efficace. Pas
à cet âge, en tout cas, et pas en ce qui concerne la prise de
risque. Votre ado ne suivra pas automatiquement les
consignes éducatives que vous lui aurez données ; il aura
peut-être même à leur égard une attitude paradoxale (rejet
du port du casque par exemple). Ce n'est pas, à coup sûr,
en disant sans cesse à votre fils de faire attention en traver-
sant la rue ou en rentrant le soir en moto que vous vous
prémunissez et que vous le prémunissez contre des dangers
qu'il cherche plus ou moins consciemment. C'est sur fond
d'accompagnement que la prévention est la plus efficace.
Tout le problème est d'ailleurs là.

Une fois encore, les filles sont plus aptes à accepter un
accompagnement par les adultes, en particulier les
parents, que les garçons, sans doute en raison de leurs
capacités précoces à mieux exprimer et mieux partager ce

qui relève du sentiment et de l'émotion. L'attention portée à la nécessité d'un accompagnement pour les garçons et d'un accompagnement continu dans le temps est d'autant plus cruciale. Comment faire pratiquement ? En aidant votre fils à apprendre à attendre un minimum, à parler plutôt qu'à passer à l'acte, à se faire aider des autres, à s'informer sur les dangers de tel ou tel comportement. Je me souviens personnellement combien j'avais été frappé, adolescent, de ma visite à l'hôpital de Garches où séjournait un ami à moi victime d'un accident de mobylette. J'avais alors vu des garçons de mon âge, mais très grièvement blessés et handicapés à vie.

Comprendre ses désirs

Un garçon veut se sentir fort, il veut être le roi de la jungle. Dans ses jeux, il cherche toujours à gagner et pique des colères s'il perd ; en bande, il sera chef ou, à l'extrême limite, sous-chef ; adolescent, il s'identifiera à un champion de tennis, un international de football ou un chanteur de rock. Image imposée par la société ou pas, le fait est là. Quand on lui dit que c'est stupide, on le touche au vif, toute sa confiance en lui en est ébranlée. Buté, car furieux, il refuse alors d'apprendre ou de comprendre ce qui lui est demandé. « Puisque je suis stupide ! » s'exclame-t-il. Et si vous avez le malheur de lui dire que c'est faux, il vous répondra, obstiné et vexé : « C'est toi qui l'as dit ! »

Combien de garçons que j'ai rencontrés se souviennent, des années plus tard, d'une phrase, d'un geste, d'une mise à l'écart qui les a blessés ! À la suite de cet événement, leur timidité excessive ou leur agressivité s'est renforcée. Il est vrai que rationnellement cela n'a pas de lien logique, mais émotionnellement !

N'hésitez pas à dire à votre fils combien, à vos yeux, il est valable, combien vous avez confiance en lui, sans en rajouter bien sûr, car cela ne ferait que renforcer sa crainte de ne pas être ce qu'il devrait être. Il faut surtout avec un garçon lui donner des preuves concrètes de ce que vous dites. Lui permettre de découvrir le monde quand il est tout petit, en le laissant toucher, écouter, voir ce qui l'attire, lui procurer des sensations agréables, réconfortantes, voilà qui lui donnera l'assurance que le monde ne lui est ni fermé ni hostile. Quand il est plus âgé, une bonne note dans une matière, un progrès dans une autre, un geste adroit, un comportement agréable avec des amis, un geste tendre envers son frère ou sa sœur peuvent être soulignés. Toutes les occasions sont bonnes, pour peu que ce ne soit pas systématique. L'aider à faire ce qu'il trouve difficile et pas seulement lui expliquer, favoriser les activités où il réussit, lui parler pour qu'il s'exprime à table ou avec des amis, lui laisser aussi souvent que possible prendre des décisions et, si son choix est irréalisable, lui expliquer pourquoi : tous ces actes ont une vertu éducative fondamentale et donnent à un enfant la possibilité de prendre confiance en lui.

Il sera toujours plus important d'avoir confiance en soi, c'est-à-dire de croire en soi et d'accepter ce qu'on est, que de désirer être le meilleur partout et tout le temps. Une maman a, ici, un rôle essentiel à jouer, en montrant qu'elle-même a confiance en elle. La meilleure éducation reste l'exemple, et une mère ne doit pas, pour cette raison, accepter que son mari la disqualifie devant leur fils.

Contrairement à ce qu'on pourrait croire, cette attitude ne renforcera pas le garçon dans une identité masculine toute-puissante ; elle lui fera craindre un jugement identique à son égard.

Pour une mère, comprendre les désirs de son fils, c'est aussi, au moment de l'adolescence, comprendre avec discrétion et pudeur sa vie sexuelle, ses sentiments amoureux et ses comportements, même ceux qui pourraient la choquer. Chaque mère sait que son fils, passé un certain âge, se masturbe, mais qu'il ne l'évoquera jamais spontanément avec elle. Faut-il se réjouir ou s'angoisser de ce que la fréquence des pratiques masturbatoires soit, chez les garçons, inversement proportionnelle à leur précocité génitale, ceux qui se masturbent étant souvent ceux qui entrent le plus tard dans la sexualité génitale ? Le premier rapport sexuel n'est pas un sujet dont les garçons parlent volontiers avec leur mère, ou avec leur père. Seuls 16 % des garçons et 26 % des filles l'ont fait. En revanche, près de 90 % d'entre eux disent que leurs parents ont bien réagi. Cela signifie que, pour pouvoir parler de sa première relation sexuelle, on a besoin de se sentir en confiance, mais que ce n'est pas suffisant compte tenu des chiffres.

Ce sont les sentiments poussant à l'acte sexuel plus que les actes pratiqués qui distinguent les garçons des filles. Majoritairement, les filles font l'amour par amour (60 %) ; près de la moitié des garçons le font par attirance ou par désir physique, l'amour ne concernant que 38 % d'entre eux. La physiologie de la femme et de l'homme doit être ici reconnue par chacun : 93 % des garçons disent avoir eu du plaisir physique contre seulement 65 % des filles. En revanche, 31 % des filles espèrent le coup de foudre alors que les garçons déclarent ne pas avoir d'attentes particulières dans ce domaine[9]. Mais disent-ils la vérité sur leurs sentiments profonds, dans le cadre d'enquêtes dont sont issus ces chiffres ? Quoi qu'il en soit, toujours selon ces mêmes enquêtes, 82 % des garçons et 59 % des filles ne « sortent plus avec » leur premier partenaire. On comprend que les mères, se fiant à leur propre expérience, s'interrogent sur le comportement de leur fils, parfois avec fierté, parfois avec incompréhension.

Concernant la vie sexuelle, une double différence entre les garçons et les filles semble donc se maintenir : l'ensemble des enquêtes montre que les garçons ont plus de partenaires et que leur implication affective au moment du premier rapport est moindre. Toutefois, si les adolescents ont bien désormais une vie sexuelle active, ils n'en mènent pas pour autant une vie de débauchés. Plus de la moitié des adolescents de 15-18 ans disent avoir eu des relations sexuelles, ce qui implique qu'une autre moitié n'en a pas eu. Au-delà des relations sexuelles, signalons, enfin, l'importance et la place privilégiée que les « sentiments » occupent constamment dans les enquêtes sur la vie sentimentale des adolescents, y compris chez les garçons, 77 % des garçons et 87 % des filles disant être amoureux de leur partenaire.

En dehors de tout sondage, ma longue expérience de clinicien m'a conduit au constat suivant : lorsqu'un adolescent a des relations sexuelles pour satisfaire un certain besoin de normalité (pour faire comme tout le monde), le plaisir retiré est souvent minime et d'autant plus minime qu'il est plus jeune. S'il éprouve une satisfaction, celle-ci vient de l'« avoir fait » plus que des sensations réellement ressenties au moment de l'acte amoureux. Cette absence de plaisir, ou ce plaisir modéré, qui ne répond pas aux attentes parfois imaginées, peut d'ailleurs conduire un jeune garçon à se voir comme « pas normal » ou à s'interroger sur sa normalité. À l'inverse, d'autres adolescents vont être rassurés par une expérience sexuelle satisfaisante et l'établissement d'une relation amoureuse qui leur permettent la découverte de l'autre et l'ouverture partagée à des intérêts nouveaux. Grâce à cette relation amoureuse, un travail psychique de déplacement, de substitution et de détachement par rapport aux parents et par rapport à la mère en particulier, peut s'opérer chez le garçon. Les satisfactions retirées compenseront largement, voire excéderont la perte de l'enfance ou les craintes initiales. L'adolescent se laisse alors aller dans cette relation amoureuse dont l'acte sexuel est l'heureux et satisfaisant prolongement. Précisons néanmoins, pour être parfaitement honnête, que ce type de relation s'observe plus souvent chez le « grand » adolescent, vers 17-18 ans, que chez le jeune adolescent.

Lui apprendre à mieux communiquer

D'un point de vue général, les garçons communiquent différemment des filles ; ils s'expriment plus par des gestes, des comportements, des cris que par des mots. Ils ne sont pas moins sensibles ou moins intelligents, mais ils expriment leur intelligence et leur sensibilité autrement. Quand ils sont pris dans un tourbillon émotionnel, ils ne savent plus écouter les conseils, ils ne peuvent plus accepter les critiques constructives, ils ne savent même plus se faire consoler : ils veulent juste que leur mère devine ce qui se passe à l'intérieur d'eux.

Je me souviens d'un garçon de 15 ans qui venait d'être renvoyé deux jours de son collège pour impertinences répétées à l'égard de ses enseignants. Sa mère l'élevait seule, avec beaucoup de courage, essayant de compenser le mieux possible la disparition du père. Ce garçon, qui s'appelait Mikael, avait honte de son attitude mais il se trouvait des bonnes excuses et affirmait que la punition était injuste et sans commune mesure avec son indiscipline. Ce jour-là, sa mère, généralement plutôt chaleureuse, l'accueillit froidement. Elle lui dit simplement et avec autorité : « Tu en profites pour travailler. Et tu ne recommences pas. » L'échange fut direct, bref, sans cri ni reproche abusif. Son efficacité fut foudroyante. Non seulement Mikael travailla ces deux jours-là, mais il se changea en un élève sérieux pendant le dernier trimestre et son comportement en classe devint tout à fait acceptable. Ce n'est que quelques années plus tard qu'il prit réellement conscience du bien-fondé de l'attitude de sa mère, envers qui il éprouva un sentiment très vif de reconnaissance.

Les garçons, plus encore que les filles, ont envie que leur mère éprouve et comprenne ce que, eux-mêmes, éprouvent, mais ne comprennent pas toujours. Il faut donc que les mères devinent et, heureusement, c'est souvent ce qu'elles font, pour peu qu'elles ne soient pas fatiguées ni attaquées ou contredites dans leur attitude par le père. Comment ? En écoutant, en regardant et, surtout, en observant son comportement. Les mères n'ont généralement pas appris à partager leurs sentiments avec un représentant du sexe opposé, en l'occurrence leur fils, mais elles se débrouillent, et bien. Pourtant, il n'y a sans doute rien de plus apaisant pour un garçon que de découvrir que ses sentiments font partie de l'expérience humaine, qu'il peut les laisser s'exprimer et, mieux encore, qu'il n'a pas à en avoir honte, et la mère, parce qu'elle est une femme, joue un rôle primordial dans cet apprentissage.

Cette compréhension intuitive d'une mère face à son fils participe à l'ambiance familiale. Si les familles de « garçons » sont plus dans l'événement et l'action, et les familles de « filles » plus dans la relation et l'échange verbal, dans tous les cas, celui ou celle qui est « différent » au milieu de tous les autres peut apporter un équilibre utile à tous.

Au bout du compte, donc, l'éducation d'un garçon par sa mère relève de quelques connaissances de base faciles à garder en mémoire.

• Un garçon attend de sa mère qu'elle le comprenne à demi-mot ; une fille attend de sa mère qu'elle ne se substitue pas à elle.

• Un garçon attend de sa mère qu'elle décode ses sentiments qu'il exprimera moins qu'une fille par des mots que par une attitude et un comportement.

• Un garçon réagira mieux aux demandes de sa mère si elle lui précise clairement les efforts qu'il doit faire sur des actions concrètes et à court terme, au lieu de verser dans un point de vue général ou une leçon de morale s'appuyant sur un projet éducatif global et à long terme.

Chapitre VI

MON FILS GRANDIT

Un garçon se développe tout au long de l'enfance et même au-delà, chaque mère le sait. Ce qu'elle peut moins bien connaître, surtout si c'est son premier fils, ce sont les particularités de ce développement, et elles sont nombreuses et, parfois, très spécifiques.

Les étapes

Recherche mère désespérément

Tous les enfants peuvent être jaloux de l'arrivée d'un petit frère ou d'une petite sœur, mais il faut bien le reconnaître, sur cette question, les garçons semblent plus sensibles que les filles. Freud se souvient combien il a cherché désespérément sa mère au moment où celle-ci accoucha de sa jeune sœur Anna.

Une maman apporte de la chaleur humaine à son bébé autant par son toucher, ses caresses, son sourire auxquels le bébé répond très vite que par ses paroles associées à des regards pleins d'amour. C'est naturel et essentiel. Dès la naissance, un nourrisson essaie de communiquer ses besoins ; à la maman de trouver les gestes d'amour et d'apaisement et de trouver pour *son* bébé les gestes qui lui conviennent aussi à *elle*. Chaque mère sait qu'un bébé peut devenir épuisant si elle répond tout de suite à toutes ses sollicitations. Ce petit ange, qu'il s'agisse d'une fille ou d'un garçon, doit se heurter aux limites qu'on lui fixe, et il ne manquera pas d'amour pour autant. Toutes les études récentes, pourtant, insistent sur le fait que des différences de réactivité existent suivant le sexe et dès la naissance. Les travaux utilisant l'échelle du célèbre pédiatre Brazelton, la *Neonatal Behavioral Assessment Scale*[1], ont mis en évidence le fait que les bébés garçons sont plus excitables par un changement d'environnement et s'autoréconfortent moins. En d'autres termes, contrairement aux bébés filles, les bébés garçons, en raison de leurs difficultés de régulation émotionnelle, passent difficilement d'un état d'éveil et d'excitabilité à un état d'autorégulation lorsque leur mère n'est pas disponible. Il a également été montré que les dyades mère-fils sont plus fréquemment en accordées, c'est-à-dire dans le même état comportemental durant une période de temps donnée, que les dyades mère-fille[2]. Cela, les mères le découvrent toutes seules : d'elles-mêmes, elles s'adaptent mieux aux rythmes et en particulier au rythme alimentaire de leur garçon que de leur fille[3]. On sait enfin maintenant que les mères ont tendance à parler davantage à leurs filles, mais à toucher et caresser davantage leurs garçons afin peut-être de les apaiser[4].

Dans les jupes de maman

« Au fond de la penderie, le visage enfoui dans une vieille robe de maman[5] » : telle est l'expression la plus authentique et la scène la plus significative de l'attachement d'un fils pour sa mère. On est d'autant plus touché par cette phrase qu'elle charrie toute la tendresse de Dominique Jamet pour sa mère, morte prématurément[6] et jamais remplacée. Cette scène fait penser à la phrase si souvent entendue : « Il est tout le temps dans mes jupes ! », où s'exprime un sentiment ambigu, mélange de plaisir et de crainte – plaisir d'être la source majeure de l'attachement, si ce n'est de l'amour, d'un petit homme, mais crainte de ce que le désir de l'un et de l'autre pourrait susciter.

Entre 2 et 4 ans, un enfant développe son autonomie. En refusant d'obéir, en courant en avant de sa mère ou en la faisant attendre au coin de la rue pour qu'elle vienne le chercher, il affirme qu'il est capable de penser et d'agir par lui-même. Il prend conscience de la différence entre lui et les autres, ce qui ne l'empêche pas de craindre en même temps la solitude et l'abandon. Dès qu'il se reconnaît dans un miroir, il sait que son corps est à lui et il sait le différencier des autres corps et, en particulier, du corps de sa mère. Il n'en recherche pas moins le contact pour se rassurer sur son amour, sa chaleur, sa protection. À cet âge, la conscience que l'enfant a de lui-même passe par le regard, l'écoute et le toucher qu'on lui destine. Là encore, un garçon utilisera moins et plus tard la parole pour vivre toutes ces expériences ; il les communiquera par des comportements significatifs, mais les jupes de maman représentent bien plus qu'un joli et doux tissu, et il est indispensable, pour le tout jeune garçon, de sentir que sa mère accepte de le laisser se blottir dessous.

Le besoin de pudeur

Vers 7-8 ans, un garçon se tourne volontiers vers son père. Il lui parle plus qu'avant, il veut jouer avec lui ou l'accompagner à ses activités sportives. Parallèlement, il semble plus distant avec sa mère. À cette période, beaucoup de garçons manifestent un besoin de pudeur, non seulement en ce qui les concerne, mais aussi en ce qui concerne leurs parents. On appelle cette période la phase de latence. Celle-ci est marquée par un intérêt accru pour la connaissance. Le garçon devient plus calme, il contrôle mieux ses émotions, il accepte d'apprendre seul ses leçons et souhaite participer à la discussion au cours du repas. Son esprit fonctionne en particulier grâce à un mécanisme de défense face à ce qui peut l'exciter ou l'angoisser et qu'on désigne sous le terme de « formation réactionnelle ».

La formation réactionnelle est pour les psychanalystes une attitude psychique qui va dans le sens opposé d'un désir refoulé et qui se constitue en réaction à celui-ci. Elle transforme le caractère en permettant une économie du refoulement puisque, à des tendances inacceptables, sont substituées des tendances opposées et qui deviennent permanentes. Tout ce qui peut surgir comme questions tournant autour de la sexualité devient « gênant ». La formation réactionnelle est en sorte une « contre-force psychique » faisant barrage à l'attrait sexuel et s'opposant à la période œdipienne précédente. Le garçon manifeste alors volontiers son dégoût ou sa pudeur ou formule des propos marqués par un point de vue moral. Il peut devenir particulièrement ordonné, économe ou entêté. Son entêtement peut tourner au défi et le mener brusquement à des emportements difficilement acceptables pour sa mère. Parallèlement, son égoïsme, en particulier avec ses frères et sœurs, se transforme en une générosité inhabituelle et sa cruauté infantile se change en compassion, associée à un sens aigu de la justice, ce qui est source de discussions familiales inépuisables.

Il va tout seul en classe

Ce côté « responsable » que manifeste alors le garçon amène à lui donner plus de cette indépendance que, souvent, il réclame lui-même. Permettre à l'enfant de comprendre qu'il est capable d'aller tout seul en classe, quand la distance, la sécurité et les moyens de transport l'autorisent, sera une étape importante pour votre fils. Cela le prépare à l'étape suivante : la gestion de son autonomie. Éprouver qu'il peut faire des choses qui ne lui étaient pas antérieurement accordées le confortera dans son estime de lui-même. Une étape intermédiaire, si elle est possible, est recommandée : aller seul en classe avec un camarade. L'avantage est de le rassurer, de l'ouvrir à la vie sociale, de l'aider à communiquer, de le pousser à partager ses intérêts, ses efforts, ses rires et ses peurs avec quelqu'un.

L'envol

Au-delà des particularités individuelles, l'arrivée de l'adolescence constitue pour chacun une étape clé. Le taux de testostérone augmente d'environ 800 % et dix à vingt fois plus que celui des filles, ce qui explique que les questions ne se posent plus de la même façon pour le garçon, mais aussi pour son environnement et, en particulier, pour sa mère.

» *IL A GRANDI D'UN COUP !*

Déjà, bien avant l'adolescence, et à mesure que leur fils grandissait, les mamans ont été contrariées dans leur rythme, leur élan, leurs mouvements, dans l'expression spontanée de leur sensibilité féminine. Elles souhaitaient le prendre dans leurs bras, le câliner, et il bougeait ou cherchait à jouer « à la bagarre » ; elles voulaient le coiffer pour qu'il soit le plus beau, et il passait sa main dans ses cheveux pour les ébouriffer ; elles recevaient des amis pour dîner, et il refusait de s'endormir et courait à travers le salon. À l'adolescence, pourtant, cet enfant bien vivant s'est transformé : il a grandi d'un coup et s'est changé en un beau garçon harmonieux, réel et fantasmé sous le regard de sa maman. Ensuite, il est devenu une « grande perche » ; ensuite encore, il est devenu « ingrat et boutonneux ». Depuis, il résiste, il impose ses besoins ; son humeur est imprévisible, il choisit ses vêtements et ses chaussures, il modifie son rythme de vie, ses réveils, ses couchers ; il désigne ses priorités et ses urgences ; surtout, il vit sa vie.

Chaque mère sait qu'il n'en est pas moins fragile et que les pincettes sont de rigueur, mais toutes les mères devraient aussi savoir que, en dépit des apparences, ce « grand dadais » les aime toujours autant. Leur problème est de continuer à être elles, pendant que lui devient lui, à son rythme, c'est-à-dire pas au leur. Lors d'une conférence sur les bébés et les adolescents, le psychiatre Bernard Golse prononça une phrase qui résonna immédiatement dans ma tête : « La question que le bébé se pose tous les matins en se réveillant est la suivante : va-t-elle être pareille qu'hier ? » Monsieur Bébé sera tranquillisé et ravi de retrouver le visage et le sourire de la mère qu'il a quittée heureux, la veille, avant de s'endormir. J'ai aussitôt eu la pensée suivante et je suis intervenu pour dire : « Le problème à l'adolescence est le même, mais inversé. C'est la mère qui se demande avec inquiétude : va-t-il être le même qu'hier ? » Et toute la salle s'est mise à rire.

Aux paradoxes constitutifs de l'âme humaine, si manifestes à l'adolescence (vouloir être soi-même et en même temps craindre de l'être si peu, ou encore vouloir se nourrir des autres et en même temps s'en différencier) s'ajoute celui, plus spécifique, de pouvoir tout et de pouvoir si peu. Un jeune adolescent (âge du collège) perd la relative quiétude de l'enfance. Les modifications corporelles, les difficultés à mettre ses pensées et ses sentiments en mots et les « ennuis » physiologiques sont parfois difficilement contrebalancés par les potentialités naissantes et l'accession à de nouveaux plaisirs.

Depuis la naissance, n'y a-t-il pas au fond de chaque être humain un enjeu de chaque instant pour maintenir un équilibre personnel entre besoin de l'autre et autosuffisance, mais aussi entre illusion et déception ? Cet équilibre

est particulièrement fragile à l'adolescence, période propice, s'il en est, à percevoir la tension qui pousse vers un
de ces extrêmes. Un risque de déséquilibre se fait sentir,
qui peut amener à refuser le conflit afin de préserver cet
équilibre au prix néanmoins d'un sentiment d'impuissance
douloureux mais qui constitue un rempart ultime contre la
crainte d'un effondrement ou, pire, contre le danger d'une
perte de cohésion interne.

À côté des aménagements de la subjectivation ou de la
dépendance[7], le processus d'adolescence se caractérise par
des aménagements spécifiques autour de la question de la
dépressivité. Un adolescent est à la recherche de solutions
lui permettant à la fois de prévenir et de gérer des conflits
propres à l'être humain, mais particulièrement violents à
cette période de la vie. La culpabilité, la honte et l'humiliation sont les affects qui découlent de l'échec de ce mouvement. Ils attaquent l'image narcissique de soi. La quête de
soutien et d'amour auprès de la mère est aussi une
menace, car empreinte de trop de maternage. Pour
résoudre le problème, nombre d'adolescents inventent des
« parades acrobatiques ». En retour, ils obligent leurs
parents, et en particulier leur mère, à fonctionner de la
même façon. Une manière d'y échapper est de se doter
d'un modèle éducatif fixe, soit en adoptant un « laisser-
faire » total, soit en exerçant un contrôle anxieux permanent. Le seul problème est que ces modalités sont tôt ou
tard mises en échec. Mieux vaut donc être dans une
« empathie élastique », un engagement rappelant plus le
travail de l'équilibriste que celui du « rond-de-cuir » de
Courteline. Mieux vaut accepter d'entrer dans une danse
dont chaque partenaire aura, à un moment ou un autre,
du mal à suivre le rythme de la musique et le pas du cava-

lier ou de la cavalière. Comme dans une danse, si le plaisir est insuffisant d'un côté ou de l'autre, le faux pas et la rupture menacent, mais prendre le risque de la dépressivité de son ado et, par là même, de sa propre dépressivité, admettre ce balancement incessant entre l'illusion et la déception reste, paradoxalement, par rapport à un désir insatiable de faire de son mieux, le plus sûr chemin.

Une séparation, une rupture de liens, une perte ne suscitent pas les mêmes représentations. Une séparation renvoie à une situation où la perte n'est pas consommée ; une rupture à une situation à versant traumatique ; une perte à une situation où l'autre n'existera plus jamais comme avant. Quoi qu'il en soit de ces distinctions réelles, la fréquence de leur association à l'adolescence n'est plus à démontrer. Être adolescent, c'est se séparer du milieu familial aussi bien par son lieu de vie que par les personnes qui composent son entourage. Les amis, les activités sociales, scolaires ou professionnelles, les types de loisirs se modifient au gré des circonstances, des obligations, des projets d'avenir. La majorité de ces séparations se font au bénéfice de nouvelles rencontres, de nouveaux intérêts, de nouveaux objectifs, mais, à l'occasion de ces séparations, des liens d'attachement profonds et anciens se rompent aussi bien du côté de l'adolescent que du côté des parents et, donc, de la mère.

Un adolescent a fort à faire, car il a une série de deuils à accomplir. Le premier est celui de la maman-refuge, qui entraîne le deuil du bien-être idéal représenté par l'union avec la mère. Mais il y a aussi le deuil de la « mère œdipienne », d'autant plus difficile qu'il se fait en présence de la personne réelle. Comme l'écrit Winnicott, « il ne s'agit plus, comme à l'entrée en latence, de refouler dans l'inconscient l'amour pour l'objet œdipien et d'intérioriser l'interdit du rival, tout en restant dépendant des images parentales et de la relation aux parents. Il s'agit de faire le deuil de l'investissement œdipien et de la dépendance aux parents, tout en aménageant un nouveau mode de relation tant interne qu'externe avec eux[8]. Même si, au moment de la puberté, la croissance se fait sans crise majeure, des problèmes aigus d'aménagement peuvent survenir, parce que grandir, c'est prendre la place du parent, et il faut bien que cela se passe. Dans le fantasme, grandir est, par nature, un acte agressif[9] ».

Par rapport au deuil, les aménagements de l'adolescence se distinguent par le fait que les pertes peuvent être multiples et simultanées, que le Moi y est affaibli, que l'altération de l'estime de soi y est fréquente, que le travail y est plus complexe, plus riche, qu'il répond à des significations et des déterminations diverses, mais surtout par le fait qu'une partie des pertes n'est pas subie, mais désirée et au service de l'affirmation de soi et de l'illusion nécessaire à tout mouvement de vie.

» *LA CHAMBRE DE L'ADOLESCENT*

La chambre d'un adolescent est une excellente illustration de ce qui se passe dans sa tête. La manière dont il l'entretient ou pas, dont il en ferme, ou pas, la porte, refusant l'entrée à quiconque ou, au contraire, faisant chambre ouverte à tous sont significatives (dans le même ordre d'idées, on peut ajouter la salle de bains, monopolisée sans aucun souci des besoins des autres membres de la famille). Arrive donc toujours ce moment où le garçon ne veut plus que sa mère pénètre dans sa chambre. Les raisons exprimées, et vues de façon inverse par la maman, portent sur le rangement, la propreté ou le fait de ne plus être un enfant. Au-delà des prétextes invoqués, c'est une gêne plus intime qui s'exprime. On pense aux activités masturbatoires, aux éjaculations nocturnes, aux draps découverts par la mère qui s'emploie à ne pas voir ce signe de virilité acquise.

Cette peur d'être découvert à laquelle se mêle une certaine fierté cache des enjeux plus profonds.

> Rappelons l'histoire d'Arthur, ce garçon de 13 ans, qui me lança ce cri avant même que j'aie pu parler avec lui : « Je n'aime pas qu'on fouille dans mon passé ! » Pourquoi une telle expression de fantasme d'intrusion ? La phrase d'Arthur est exemplaire de ce début d'adolescence où on attend d'être deviné et où, en même temps, on en a peur. Un jeune adolescent doit se protéger contre le bouleversement pubertaire, et les mécanismes de contrôle et d'emprise servent à cela, quand ils prennent le devant de la scène et luttent contre toute intrusion extérieure. Plus le jeune se sent en insécurité et plus il ressentira le besoin de tout contrôler, ce qui se traduira par une rigidité de caractère, des comportements d'opposition à répétition, des idées caricaturales et à forte connotation projective, des identifications narcissiques puisqu'il s'agit de trouver en tout autre un double de lui-même qui le rassure sur sa propre identité.

Ce besoin de tout contrôler amène le jeune adolescent à voir les gens comme il le désire, non pas comme ils sont. Les jugements qu'il porte sur le monde environnant reflètent à ses yeux le monde tel qu'il est et n'expriment pas une vision personnelle et subjective, la sienne en l'occurrence. D'où la difficulté ou l'incapacité à s'interroger sur soi, à se remettre en question, à douter, à établir des compromis, à mentaliser, à penser sur sa pensée. Qu'une distinction s'installe entre la réalité perçue et les représentations de cette même réalité, qu'un conflit surgisse entre soi et l'autre, et les angoisses les plus profondes resurgissent. Le drame de l'emprise est que, si elle conforte le Moi, elle le prive aussi du plaisir de la satisfaction partagée et, donc, de la possibilité d'intérioriser les recommandations ou les qualités d'autrui, de s'ouvrir à la différence et de supporter la passivité que la satisfaction d'un échange implique.

Cette impossible ouverture à la différence et en même temps cette incapacité à accéder à une représentation de soi sans l'appui que le regard des autres vous renvoie nourrissent un sentiment d'impuissance, voire de désespoir, et l'adolescent sent immédiatement la menace que constitue la dépressivité.

> Arthur, au cours d'une autre séance, me parla de son corps et du fait qu'il ne pouvait plus jouer au tennis, car il avait mal au genou. Il avait consulté plusieurs spécialistes, et rien n'y avait fait. Quand il me parla de ce problème apparemment anodin, il était triste, malheureux, en colère. Je lui demandai pourquoi ses difficultés le mettaient dans un tel état, et il m'expliqua que le tennis était pour lui capital, car il lui permettait de se battre contre quelqu'un. Et il ajouta : « À quoi ça sert de vivre, si on ne peut pas se battre contre quelqu'un ? On est tellement seul… » Ne pas pouvoir dominer l'autre, c'est-à-dire ne pas pouvoir avoir de sentiment d'emprise, était chez ce garçon une source forte de dépressivité.

La grande peur du Moi chez un jeune adolescent qui ne maîtrise pas le monde est d'abandonner une partie de soi à l'autre et de ne plus être soi face à l'autre – autrement dit, il se sent menacé narcissiquement. Le « Je ne veux pas qu'on fouille dans mon passé ! » peut d'ailleurs être compris en ce sens. Paradoxalement, et dans le même temps, le même jeune adolescent attendra de l'autre qu'il joue le rôle de réceptacle englobant ses représentations de lui-même et ses affects. La « menace dépressive » est là, car si l'adolescent se laisse aller au « holding winnicottien », le danger de la régression vers une relation de plaisir et de dépendance à la mère va pointer son nez et, donc, le risque de se perdre en la perdant faire surface.

Mais l'histoire d'Arthur montre aussi les difficultés d'un travail psychothérapeutique au début de l'adolescence : le processus associatif est parfois très long à s'établir et on en reste souvent au niveau de l'actuel et de l'anecdotique (« Alors, comment ça s'est passé à l'école ? Qu'est-ce que tu as fait cette semaine ? Et tes amis, comment ils vont ? », etc.). Le temps semble suspendu à un présent immobile, sans représentation ni du passé ni de l'avenir. Le récit de sa journée par un adolescent, si encore il accepte de la raconter, laisse peu de place aux liaisons aléatoires propres à la règle de l'association libre. Comme l'a très bien formulé Claire-Marine François-Poncet[11], l'infantile est trop présent pour être nommé et l'avenir trop rêvé pour être présent. Le jeune adolescent, successivement agresseur et agressé, maintient l'emprise en soumettant les adultes à la frustration répétée du plaisir de la « co-pensée », concept développé par Daniel Widlöcher[12] et particulièrement parlant ici. Quand il parle avec un adulte, l'adolescent refuse la dépendance de l'enfance dont il se sent encore si proche, mais craint les engagements de l'âge adulte dont il se sent aussi si proche. Il se sent soumis au devoir de penser et de tisser des liens entre son présent, son passé et son futur, mais il interdit aux adultes de le faire à sa place. Face à cette contradiction, un thérapeute ne peut que répondre à la demande d'étayage dans l'immédiat en offrant un cadre particulier dont la fonction est de restaurer le narcissisme menacé par l'excitation pubertaire et d'alléger le fardeau d'un Moi fragile confronté à l'actualisation de la vie pulsionnelle. L'actualité de la vie scolaire, de la vie familiale, de la vie amicale est livrée en quête de déchiffrage de la menace sous-jacente : celle de trop se confier à quelqu'un et donc de risquer de le perdre. Pris entre l'incertitude de l'amour de l'autre, le flot des passions et le besoin d'être unique, le jeune adolescent a parfois bien raison de se taire, et nous devons le comprendre : il est en fait toujours menacé de trop en dire ou pas assez.

» À LA RECHERCHE D'UNE AUTRE FEMME

Quand un garçon devient adolescent, une mère doit renoncer à l'exclusivité de l'amour de son fils. Jusque-là, elle était la seule femme à disposer de ce privilège (qu'elle a dû néanmoins parfois partager avec une grand-mère). Désormais, son petit homme a une vie amoureuse et sexuelle, imaginaire ou réelle, qui échappe à son pouvoir. Il suscite l'attirance, l'admiration et le désir. Il arrive même, quand ils se promènent ensemble, que le regard d'une jeune fille se pose sur son fils qu'elle continue, elle, de voir comme un petit garçon. Certes, elle sera fière de la séduction qu'exerce son enfant, mais elle peut aussi en être jalouse. Certaines mères pour lesquelles leur fils représente le sens principal de leur existence supportent particulièrement mal ce changement, elles s'interrogent sur leur propre vie, sur leur propre devenir. Elles peuvent même tout à coup se sentir passer un cap dans leur existence, devenir « vieilles ». Le pouvoir de séduction qu'elles percevaient dans le regard et le comportement de leur fils à leur égard est remis en question. Ce mélange de fierté et d'attaque inconsciente que représente cet état de fait peut susciter des attitudes contradictoires. Pour faire face à cette « épreuve narcissique » personnelle, certaines mères insisteront excessivement sur le pouvoir séducteur de leur fils, une manière de dénier le deuil qu'elles ont ici à faire. D'autres, involontairement, contrôleront excessivement toutes les fréquentations féminines de leur « bébé ». D'autres encore se retourneront affectivement et excessivement, mais toujours inconsciemment, vers le petit frère ou la petite sœur. D'autres, enfin, accepteront et même valoriseront cette étape avec un regard tendre et affectueux pour ce fils qui sera toujours le leur.

Un homme, mais toujours « mon petit garçon »

Geneviève attend depuis plusieurs années de rencontrer un homme avec qui elle pourrait finir sa vie. Elle a maintenant 60 ans. Elle envisage de prendre sa retraite et s'inquiète de sa vie future qui sera, si elle reste seule, difficile. Un jour, elle arrive souriante et me dit que des amis lui ont fait rencontrer Henri, qui est veuf depuis deux ans, a le même âge qu'elle et ne souhaite pas finir seul sa vie. L'histoire commence, les vacances sont prises ensemble, un projet se précise. Henri souhaite la présenter à sa propre mère qui a 83 ans. La rencontre a lieu, elle se déroule bien. Geneviève, quinze jours plus tard, reçoit un appel téléphonique de la mère d'Henri. Celle-ci lui dit qu'elle est très heureuse pour son fils, qu'elle l'a trouvée tout à fait sympathique, qu'elle connaît bien son garçon et qu'elle est la femme qui lui convient. Elle voudrait cependant lui poser une question, un peu gênante, mais, ajoute-t-elle : « Entre femmes ! » La question est : « L'aimez-vous vraiment ? » Geneviève, surprise, répond par l'affirmative tout en songeant que cette mère s'inquiète pour son fils de 60 ans comme s'il en avait 20.

Pour toutes les mères, et pas seulement pour la mère d'Henri, un fils reste à jamais leur « petit garçon ». Cet amour n'est pas vécu de la même façon de la maternité à la mort, mais, quelles qu'en soient les manifestations, c'est l'amour le plus durable. Même dans *Les Parents terribles* de Cocteau, on perçoit, par-delà la passion dévorante et parfois destructrice, l'éternité de ce sentiment amoureux. Pour une mère, ce fils qu'elle a vu naître, grandir, dont elle a toléré au fond d'elle-même les bêtises, dont elle a ressenti l'amour mais aussi saisi le besoin de s'éloigner, qu'elle a vu souffrir et qu'elle a même vu en aimer d'autres, cet homme-là sera toujours son préféré. Il faudrait qu'il la déçoive terriblement, qu'il lui fasse beaucoup de mal, qu'il la traite durement, qu'il l'abandonne totalement pour qu'elle conçoive à son égard de profonds et durables griefs.

Comment lui parler ?

Communique-t-on plus facilement avec quelqu'un qui vous ressemble ? On aurait spontanément tendance à répondre : oui, et à considérer que les mères communiquent mieux avec leurs filles et les pères avec leurs fils. Pourtant, que l'on soit fille ou garçon, la première langue que l'on parle est la langue maternelle. Certes, depuis Homère qui, dans l'*Iliade*, montre Pélée s'adressant à son fils Achille par-delà la mort, beaucoup ont soutenu que le langage garant de l'ordre symbolique de l'univers, c'est-à-dire le langage qui donne un sens partageable par une communauté humaine, était lié à la parole du géniteur[10], mais est-il vraiment certain que les pères parlent plus souvent à leur fils qu'à leur fille ? Qu'ils jouent davantage avec lui ? Qu'ils en parlent plus autour d'eux ? Qu'ils s'investissent davantage dans sa scolarité ? Qu'ils l'incitent davantage à progresser dans tous les domaines ? Même si cela était démontré objectivement, ce qui n'est pas le cas, cela signifierait-il qu'ils communiquent mieux avec leur garçon que les mères ?

N'oublions pas que les pères d'aujourd'hui ont souvent été élevés dans la négation de leurs affects : entre hommes, on ne montre pas facilement ses sentiments profonds[13]. Au contraire, les mères sont là pour aider leurs garçons à comprendre ce qu'ils ressentent et leur renvoyer en miroir leurs propres sentiments. Les enfants apprennent la manière dont leur corps se comporte en regardant leur image dans le miroir ; ils comprennent les sentiments qu'ils ressentent en « voyant » leurs sentiments reflétés chez quelqu'un d'autre.

Une mère doit utiliser ce langage émotionnel dont elle est une experte, surtout avec son garçon. Elle n'a d'ailleurs pas cette seule arme à sa disposition. Quand Julien, 3 ans, se roule par caprice par terre en pleine rue, quand Adrien, 9 ans, refuse d'arrêter de regarder la télévision pour venir à table, quand Alexis, 16 ans, refuse de conclure la longue conversation qu'il a au téléphone avec, paraît-il, une simple amie de classe, parler ne suffit plus. Que faire alors ? Ne rien dire et laisser au père le seul rôle de l'autorité ? Non. L'autorité ne se confond pas avec un silence désapprobateur, et elle ne se confond pas avec le père. En tant que mère, il faut aussi savoir agir et associer la séduction à l'autorité.

« S'il te plaît, fais-moi plaisir ! » Combien de mères ont prononcé cette phrase pour se faire écouter ou obéir par leur fils ! C'est une façon de lui dire : « Tu es important pour moi. » Les pères utilisent beaucoup moins ce type de langage et associent moins volontiers séduction et autorité. Ce mélange est à manier avec précaution, car il est subtil. Trop de séduction détruit l'autorité ; trop d'autorité annule les effets d'une séduction bien sentie. Le fantasme d'une relation parfaite, sans souci, sans conflit, s'il est partagé par les mères et leur fils, reste un fantasme, et chacun des deux sait qu'une relation d'amour comporte des moments de frustration, des limites et des épreuves.

« *Émile ne m'écoute pas* » : *l'autorité sans humilier*

Les garçons ont beaucoup d'énergie pour résister aux recommandations et aux demandes de leur mère ou pour ne pas obéir. « Il n'écoute rien, c'est un garçon », disent certaines mères. Cette bataille quotidienne épuise plus vite la maman que son fils. Comment faut-il donc réagir aux caprices de ce petit homme qui, dès bébé, a cherché de façon souvent ostentatoire à s'affirmer ? D'abord en distinguant les caprices momentanés et ponctuels de tous les enfants normalement constitués et l'attitude odieuse qu'adoptent certains tyrans domestiques. Pour les premiers, inutile de paniquer : en détournant leur attention sur un autre centre d'intérêt ou en leur offrant un réconfort bien dosé, le caprice disparaît comme par enchantement : substituer à la glace du marchand l'idée de jouer avec les petites voitures en rentrant à la maison est un remède généralement efficace. Pour les seconds, en revanche, le problème est bien plus sérieux : un tyran domestique est un enfant qui souffre intérieurement, mais dont la souffrance est totalement oblitérée par une attitude extérieure agressive et violente.

« *Jean est trop sensible* » : *éduquer sans blesser*

L'auteur des *Parents terribles*, Jean Cocteau, adora son enfance. Il fut hyperprotégé du monde extérieur par sa mère, Eugénie Lecomte, mélomane avertie, et par sa gouvernante, Joséphine Ebel qui lui lisait *Le Chat botté*, *Hansël et Gretel* ou *La Belle au bois dormant*. Plus tard, le souvenir de ces récits continuera de susciter une attente éperdue de merveilleux, ressuscitant « le climat éblouissant de l'enfance[14] ». Sa cousine Marianne dira de lui : « C'était un hypersensible... il aimait s'habiller en fille... Un drôle de petit garçon, très fragile. La plupart du temps, sa maman le gardait au lit et s'affairait autour de lui... » On attribue souvent l'hypersensibilité des garçons aux attitudes hyperprotectrices des mères à leur égard. Il est pourtant bien difficile de faire la part entre les causes et les effets. Est-ce parce qu'il était très fragile que Jean Cocteau avait une mère hyperprotectrice ou bien est-ce l'inverse ? Est-ce parce que sa mère était hyperprotectrice qu'il détestait la solitude ou bien est-ce l'inverse ? La seule chose dont on soit sûr, c'est que tous les enfants hypersensibles ou détestant la solitude ne deviennent pas Jean Cocteau...

« Nicolas manque de confiance en lui » : protéger sans juger

Nicolas, à 10 ans, est petit pour son âge, et il en est complexé. À l'école, il ne peut pas jouer facilement avec ses camarades. Son enseignante le décrit comme un enfant très timide. Les trois premières années de vie de ce garçon ont été éprouvantes. Nicolas a eu un développement difficile. Né prématuré, il a eu des problèmes de sommeil, d'alimentation ; il a parlé tard ; il a présenté de multiples infections (otites, bronchiolites, etc.). Un asthme a été diagnostiqué, nécessitant deux hospitalisations, certes brèves, mais qui ont inquiété les parents.

Depuis qu'il est petit, sa mère a cherché à la fois à le protéger et à ne pas faire de différence avec son frère et sa sœur qui n'avaient pas de problèmes de santé. Nicolas profite parfois de son statut d'enfant « fragile ». Aimant beaucoup jouer, il passe des heures entières devant son ordinateur, quand il ne regarde pas la télévision, au lieu d'apprendre ses leçons. Il dit de lui-même qu'il est bête, ce qui n'est incontestablement pas le cas. Quand il se sent en faute, il se débrouille pour se faire plaindre, dit qu'il n'a pas de camarade ou qu'il se sent fatigué. Sa mère ne veut pas le braquer et s'efforce de ne pas juger ses petites manipulations qu'elle a très bien saisies. Elle sait que ses critiques ne feraient que susciter sa colère ou un repli sur soi, ce qu'elle veut éviter. Son mari la trouve trop « gentille » avec ce fils-là, il pense qu'elle « se laisse avoir », m'explique-t-elle au cours d'un rendez-vous qu'elle a sollicité auprès de moi pour définir l'attitude à adopter.

Après avoir reçu ce garçon seul, je me rends compte que Nicolas n'a pas confiance en lui et que, derrière son comportement manipulateur, se cache une angoisse forte de ne pas satisfaire ses parents par rapport à son frère et sa sœur. Je conseille donc à sa maman de continuer à éviter de juger son fils et de répondre à ce qu'il attend d'elle, à savoir qu'elle le protège de ce qui l'angoisse, c'est-à-dire d'un sentiment d'infériorité, en lui montrant, chaque fois que cela est possible, toutes les petites choses qu'il réussit. En revanche, je lui dis qu'elle n'a pas à retenir sa colère quand elle sait que son fils essaie de la manipuler, l'intensité de cette colère devant évidemment être en rapport avec le problème qui l'a déclenchée. Je lui demande aussi d'expliquer ensuite, clairement et calmement, à son fils les raisons de sa colère.

Il n'est jamais facile pour une mère de se mettre en colère contre son fils : une telle attitude a un coût affectif important, mais il vaut mieux se décharger au bon moment de ses tensions que d'exploser inopportunément.

Le dialogue mère-fils

Qu'est-ce que « se comprendre » ? C'est d'abord comprendre le sens des mots échangés et la signification des messages réciproques. C'est aussi percevoir les dispositions affectives et les intentions sous-jacentes, et une mère peut ainsi comprendre que son fils « ne veut rien entendre », qu'il s'oppose à elle, mais qu'il cherche le maintien de l'attention et du lien affectif. Un enfant, quand il écoute sa mère, ressent ce qu'elle lui dit très concrètement comme un échange affectif et vice versa. Lorsque cet échange affectif étouffe, il réagit. Le paradigme de ce type de réaction est illustré par la fréquente ponctuation, venant soit de l'enfant, soit du parent : « De toute manière, tu veux toujours avoir raison ! »

Parler avec son fils n'est pas toujours simple. Pourtant, c'est par des échanges verbaux, dont les garçons sont en général avares, que chacun peut affirmer sa différence sans céder à la violence et reconnaître sa ressemblance sans céder à la confusion. Nous l'avons vu, la difficulté pour un garçon est de se différencier de sa mère, sans perdre son amour et son estime, et la tonalité du dialogue qu'ils ont ensemble (complicité, copinage, gêne, rigidité, hostilité) est essentielle pour cette raison. Elle déterminera en grande partie laur proximité , mais aussi la distance qui les sépare.

Certes, la qualité affective d'un dialogue ne s'invente pas à un moment précis, elle découle de sujets de discussion, de circonstances, d'une histoire : celle de l'enfant, mais aussi celle de sa mère, de ses relations avec ses frères si elle en a eu, avec son père, avec ses amis hommes. Quand elles parlent avec leur fils, les mères sont sollicitées dans ce qu'elles ont de plus intime et de plus personnel dans leurs relations aux hommes.

De nos jours, dans nos sociétés sans modèle éducatif clairement énoncé et sans modèle familial stable, il arrive que ce soient les mères qui cherchent la proximité avec leur fils et qui veulent « être comprises », renversant ainsi les rôles habituels. Il n'est pas exceptionnel de voir, face à un grand gaillard de 15 ans, une mère-copine qui désire gommer la génération d'écart, entretenir la nostalgie d'une enfance idyllique et conserver l'illusion de sa jeunesse. Confronté à une mère complice qui cherche à le séduire, comme pour mieux s'identifier à lui et retrouver ces années passées, un adolescent risque de ne pas trouver les limites qu'il cherche. Si l'attitude de séduction est très forte, elle risque aussi de créer une excitation, intolérable pour l'ado et qui sera évacuée de différentes manières et parfois de façon pathologique (fugues, passages à l'acte, drogues, etc.).

De toute façon, un parent qui veut ressembler à son enfant ne lui rend pas service, mais lui complique la tâche, car il entrave sa possibilité de différenciation et d'autonomisation. À l'inverse, une trop grande rigidité parentale ne permettra pas à un fils de faire l'expérience du dialogue, car le conflit devient vite d'une intensité telle qu'il contraint le garçon à renoncer ou à fuir. Entre ces deux extrêmes, les mères doivent louvoyer : ne pas s'interdire de parler à leur fils et savoir qu'à certains moments, il s'y refusera ou s'opposera. Mais un garçon a besoin de connaître les pensées de sa mère, elles l'enrichissent et lui permettent de mieux définir sa propre pensée. L'absence d'échanges serait vécue comme une marque excessive de différence surtout s'il y a une fille dans la famille et que la mère se tourne volontiers vers elle pour parler. Reconnaissons cependant que, si cet échange est nécessaire, il n'est pas toujours facile. Reste alors pour une mère, outre ses bonnes dispositions « naturelles », trois règles d'or aidant à se faire efficacement entendre de son fils : se référer plutôt à ce qu'il fait qu'à ce qu'il est ; savoir lui parler de ses propres émotions, évidemment sans excès ; associer avec lui l'autorité et la séduction.

III

LE GARÇON AVEC SA MÈRE, SES SŒURS, SES FRÈRES ET SON PÈRE

Chapitre VII

À QUOI SERVENT LES MÈRES ?

Il peut paraître paradoxal de poser cette question, dans la mesure où l'utilité d'une mère pour son fils semble aller de soi. Les mères sont nécessaires et indispensables pour leur bébé : elles lui apportent les soins, la vigilance, le confort et la sécurité sans lesquels il ne pourrait pas grandir. La dépendance du très jeune enfant à l'égard de sa mère pousse également celle-ci à s'en occuper. Au désir qu'une mère éprouve à prendre soin de son jeune enfant si dépendant d'elle s'associe la satisfaction de se sentir nécessaire, indispensable envers un être vulnérable. En apparence, les choses sont complètement différentes lorsque l'enfant devient adolescent. Votre ado, d'ailleurs, ne se prive pas d'affirmer que ses parents, y compris vous, sa mère, ne lui servez à rien, sinon à l'entraver, mais est-ce vraiment le cas ?

Les cinq qualités
maternelles primordiales

Les études scientifiques ont confirmé, s'il en était besoin, que les bébés acquièrent certains traits de personnalité au contact de leur mère, et pas seulement par transmission génétique. S'ils sont élevés durant les premières semaines de vie par une maman attentive et câline, ils développeront par la suite une personnalité moins craintive et de meilleures réponses au stress.

À l'égard des bébés garçons plus encore que des bébés filles qui ont des besoins affectifs différents, cinq qualités semblent requises pour être une « bonne mère » :

1. Une sensibilité suffisante aux signaux du bébé.
2. Une acceptation des comportements du bébé.
3. Une coopération aux rythmes du bébé.
4. Une disponibilité émotionnelle.
5. Une capacité à se pencher sur ses propres états mentaux et ceux de son enfant, ce que les psychologues définissent par le terme de « fonction réflexive ».

Vers 1 an déjà, un enfant guide ses actions en fonction des mouvements et du visage de ses parents : aucun n'explore le monde sans le soutien et l'autorisation du regard parental. Un peu plus tard, entre 2 et 3 ans, le petit bonhomme cherche son autonomie, court devant sa mère, se cache à un coin de rue, mais, rapidement, se rassure en regardant si elle le suit ou l'attend. Pour qu'un enfant se sente ainsi soutenu et en confiance, il faut qu'au cours des tout premiers mois, il ait ressenti de la part de sa mère une sensibilité suffisante à ses signaux d'amour ou de détresse. Faute de quoi, son esprit peut se construire de travers, conduit spontanément dans un excès d'explorations, d'expériences, d'aventures sans conscience des dangers et de sa propre vulnérabilité. Un sentiment de toute-puissance peut en résulter qui, à l'adolescence, se manifestera sous la forme de comportements à risque, dangereux pour l'enfant et insupportables pour ses parents.

Vous me direz que la disponibilité émotionnelle est quelque chose de difficile à doser. C'est vrai. Prenons l'exemple du sommeil de l'enfant. Les mamans disent souvent qu'elles se réveillent avant même que leur bébé crie la nuit, mais, plus tard, faut-il dormir avec son fils qui pleure tout seul dans sa chambre ou qui est venu vous retrouver dans votre lit ? Le dérapage serait que les mères prennent l'habitude de dormir avec leur fils, parfois jusqu'à la puberté et... au-delà. J'ai de nombreux exemples d'enfants qui dorment ainsi avec leurs parents, surtout avec leur mère, sans que ni la mère ni le père, quand il est encore là, y trouvent à redire. Trop disponible, un parent transgresse la différence des générations, et certains spécialistes pensent que ce comportement peut entraîner plus tard chez le jeune homme le développement d'une sorte de donjuanisme, une difficulté à s'engager dans la vie amoureuse par fidélité à maman. Est-ce à dire qu'il ne faut jamais dormir avec son enfant et ne pas l'amener dans son lit le dimanche matin ? Non, mais il faut une raison particulière, parce qu'on fait la fête, qu'on déjeune au lit, que l'enfant est malade, qu'il a peur, etc. La bonne limite, on la trouve, comme souvent, quand on s'interroge loyalement de soi à soi, quand on se demande en l'occurrence : « Pourquoi, moi parent, est-ce que j'amène mon enfant dans mon lit ? Est-ce pour lui ou pour moi ? Est-ce parce qu'il ne se sent pas bien ou est-ce pour combler mon propre besoin

de chaleur et d'affection ? » Si c'est pour satisfaire un
besoin personnel, alors c'est non ! Et la limite est là.

Quand l'enfant grandit

Quand on est mère, on le reste toute sa vie, mais l'attention qu'on porte à son enfant évolue. De sensorielle et sensible quand il est bébé, elle devient de plus en plus réfléchie et morale avec les années.

Protéger

Si les mères peuvent être la cible des pulsions agressives
de leur enfant, elles ont aussi une fonction beaucoup plus
valorisante : celle de « veilleuse », c'est-à-dire de repère et
de protection permanente. Un enfant est un être vulnérable, parce qu'il n'est pas conscient de ses propres limites.
La recherche de ses limites pouvant le conduire dans des
situations extrêmement périlleuses, le rôle d'un parent, et
c'est souvent celui joué par la mère, est de veiller à l'environnement dans lequel il évolue, afin que celui-ci soit le
moins possible une source d'expériences dommageables. Il
n'y a qu'à regarder les mères surveillant « du coin de l'œil »
leur fils sur une plage ou au bord d'une piscine. Bien
entendu, avec l'âge, cet environnement s'élargit, mais les
parents restent le refuge privilégié jusqu'à l'adolescence.
L'absence de ce refuge peut pousser un garçon, surtout s'il
est adolescent, à des provocations qui ont le même sens
que lorsqu'il était petit, quand il courait loin devant sa

mère pour vérifier si elle allait le suivre ou l'appeler. Le besoin d'indépendance qui s'affirme pendant l'enfance s'accompagne toujours d'un besoin profond de sentir près de soi la permanence de cette « veilleuse » et, en particulier, du refuge maternel.

Contenir et punir

La fonction maternelle est paradoxale, car il ne s'agit pas seulement d'offrir un refuge mais de contenir les excitations, les colères liées à des caprices et la vitalité physique de son garçon lorsqu'elle le met en danger. Comme la plupart des mamans aiment profondément leur fils, elles ressentent le besoin d'être aimées par lui, mais ce besoin ne doit pas l'emporter et favoriser un manque total d'autorité.

L'apprentissage de la discipline par votre garçon, c'est-à-dire le fait de l'amener à respecter ce que vous demandez ou de vous faire obéir, passe nécessairement par la découverte d'une alternative aux sanctions. La sanction n'est pas à proscrire. Pendant une ou deux décennies, les parents ont hésité à punir. Ils ont eu tort. Quand votre fils exagère, refuse d'arrêter de jouer, refuse de s'habiller ou d'aller se coucher, vous avez le droit de le punir. Mais la punition doit être à la hauteur de la transgression. De même, la punition ne doit pas concerner des refus liés à des angoisses (refus alimentaires, refus de s'endormir, qui ne sont pas les mêmes que le refus d'aller se coucher, etc.).

Une mère doit et sait généralement faire la différence entre la prise en compte des sentiments de son fils (joie, peine, angoisse, honte) et la contention ferme d'actes indésirables. La tolérance n'est pas la permissivité. Si la per-

missivité consiste à autoriser des comportements dangereux, indésirables ou contraires à la parole donnée, faire
preuve de tolérance, c'est accepter qu'un enfant ne soit pas
une grande personne et qu'il ait des sentiments et des comportements d'enfant. Une mère peut ainsi tolérer que son
fils veuille jouer dans le délai qu'elle lui a fixé, alors que
c'est l'heure du bain, parce qu'elle accepte qu'un enfant est
un enfant ; en revanche, elle ne doit pas lui permettre de
continuer à jouer une fois l'heure dépassée.

Prendre les coups

Autre paradoxe de la fonction maternelle : une maman
doit, à la fois, autoriser des expériences et y survivre, c'est-
à-dire surmonter les assauts agressifs et maladroits de son
garçon quand ils le débordent. Elle doit donc savoir
« prendre des coups », pas physiquement évidemment,
même si la formulation est à dessein provocatrice. Un
parent fera toujours les frais de la tension qui habite son
enfant et il sera en général en première ligne face à l'agressivité d'un grand nombre d'adolescents.

Il est essentiel qu'une mère se donne les moyens de survivre à ces agressions, sans être détruite, abîmée en profondeur, déprimée ou défaite. En un mot, elle doit rester à
la hauteur de sa fonction, c'est-à-dire ne pas se dérober et
ne pas être trop profondément affectée par la situation.
Survivre implique de continuer à être sensible, touchée ou
émue par les comportements de son fils, mais aussi de
continuer à s'intéresser, à se soucier, voire à interdire.

Le droit de vouloir

Si votre fils a des droits, vous en avez également. En quarante ans, nous sommes passés d'une éducation très stricte, ne reconnaissant pas suffisamment les besoins, les capacités précoces, le droit des enfants à être écoutés, à un credo culturel, largement relayé par les politiques, qui risque de produire des enfants toujours victimes et toujours rois. Or ce n'est vraiment pas un service à leur rendre que de les laisser penser ainsi. D'ailleurs, ils n'en demandent pas tant, car cela les angoisse.

Qu'il vous ressemble... aussi

Lorsque Socrate se réfère à l'art d'accoucher les esprits à l'instar de sa mère Phénarète, accoucheuse de métier, il s'approprie, tout en les présentant autrement aux yeux du monde, des qualités maternelles et témoigne de ce que l'identification d'un fils à sa mère est possible. Par identification, on entend ce processus, généralement inconscient, par lequel un individu assimile et s'approprie un aspect, une propriété, un attribut de quelqu'un d'autre, se transformant suivant ce modèle soit en partie soit en totalité.

Pour un enfant, les parents sont la source essentielle d'identification et, à un degré moindre, l'environnement proche (familial, scolaire, amical). Ce qui revient à dire que les garçons ressemblent tous pour une part à leur mère, physiquement mais aussi dans le caractère. Parfois, cette ressemblance est évidente et soulignée par tous ; d'autres fois, elle est moins apparente ou bien elle est déniée. Pour autant, acceptée ou pas, elle n'en demeure pas moins.

L'identité d'un enfant constitue un assemblage composite intégrant une partie identificatoire au parent du même sexe et au parent de l'autre sexe, c'est-à-dire à la mère s'il s'agit d'un garçon[1]. Vous avez donc, en tant que mère, le droit d'exprimer que votre fils vous ressemble ; cela peut même le protéger, en particulier à l'adolescence, quand il ressentira le besoin de se reconnaître comme différent et autonome par rapport au parent de même sexe, tout en s'appuyant, au plus profond de lui-même, sur ce qu'il a déjà intériorisé de l'image parentale. J'en veux pour preuve la récrimination de certains adolescents qui sortent de leurs gonds lorsqu'on les compare à leur père et qu'on leur rappelle clairement combien ils leur ressemblent, par certains traits de caractère.

L'amour que porte une mère à son fils peut donc s'appuyer sur les traits qu'elle retrouve en lui et qui lui appartiennent en propre, mais cette ressemblance, source d'intimité, de compréhension à demi-mot, peut aussi être à l'origine de violents conflits dans la mesure où la mère retrouve dans le caractère de son fils des traits qu'elle reconnaît chez elle et qu'elle n'aime pas. Elle est alors particulièrement agacée quand un tiers prononce cette phrase fatidique dans un moment difficile : « Il ressemble à sa mère ! »

Son respect

Un père devrait-il être plus respecté qu'une mère ? Non. L'échange avec les enfants est fondé sur le respect, aussi

bien de la part des enfants que de la part des parents, des
deux parents. Une mère a le droit d'attendre de son fils le
respect, tout autant que le père. Les spécialistes parlent à
ce propos de « délimitation », concept intermédiaire entre
les notions d'identité, de relation aux autres et de comportement agi. La délimitation est « l'ensemble des conduites
par lesquelles un membre de la famille exprime, de façon
explicite ou implicite, ses perceptions et ses attitudes – en
réalité sa représentation mentale d'un autre membre de la
famille – à cette autre personne ». C'est elle qui permet de
dire à un ou plusieurs membres de sa famille : « Je te vois
comme cela ; pour moi, ton territoire c'est celui-là ; il peut
chevaucher le mien, il peut s'en distinguer sur tels ou tels
aspects. » Et cette délimitation doit se faire dans la réalité
pour qu'elle puisse s'exercer dans l'imaginaire de l'enfant.
Souvent, j'ai entendu des mères me dire, face à un garçon
agressif ou en colère, qu'il n'aurait pas crié si son père
avait été là. Souvent, j'ai entendu des mères me dire : « Il
me manque de respect », ou des pères avouer : « Il manque
de respect à sa mère. »

Nicolas, 16 ans, volontiers impertinent, supportant mal les contraintes
et les obligations, sait être charmeur quand il le faut, en particulier avec
ses enseignants, et qu'il est allé trop loin. Intelligent, le garçon m'explique
que ce sont ses parents qui lui interdisent tout, essayant de me mettre à
mon tour dans son camp. Aîné de sa fratrie, il reproche volontiers à sa
mère Catherine de tout laisser faire à ses deux jeunes frères. À plusieurs
reprises, le ton est monté, il a été grossier avec elle, la traitant de
« conne ». Ces propos dépriment sa mère qui ne sait que dire ou que
faire. Elle attend de son mari qu'il intervienne, mais ces scènes se passent
quand il n'est pas là. Nicolas a beau jeu d'affirmer que sa mère exagère,

s'appuyant adroitement sur les propos de son père qui dit parfois que sa femme est trop anxieuse et qu'elle ne sait pas y faire avec les garçons.

Arrive un jour où la répétition des situations d'irrespect à l'égard de sa mère ne permet plus à Nicolas de tromper son monde. Sa mère en est arrivée à lui laisser tout faire pour angoisser ensuite. Plaintes, révolte, appels du père, autorité, sanctions : tous les moyens qu'elle a utilisés pour se faire respecter par son fils se sont soldés par des échecs. Chacun s'est laissé enfermer dans un cercle vicieux : irrespect et culpabilité inconsciente du garçon, passivité et détresse de la mère, perte d'estime en miroir pour les deux.

Évidemment, Catherine a le droit de vouloir être respectée. L'attitude la plus logique serait de reprendre immédiatement son garçon quand il lui tient des propos inadmissibles sous le coup de la colère ou de la frustration. Dans le cas de Nicolas, le seuil de tolérance est largement dépassé, mais le problème s'est enkysté et il faut s'efforcer de comprendre avant de donner des conseils ou de tenter d'initier un changement nécessitant des limites clairement établies et un contrat mutuel pour les respecter.

Savoir que l'irrespect est souvent une preuve d'amour, surtout à l'adolescence, peut alors être précieux, mais ne suffit pas. Ce garçon, dans son besoin de s'affirmer, dans son manque de confiance en lui, dans sa crainte inconsciente de se détacher de sa mère qu'il aime toujours profondément, n'a pas trouvé comment exprimer à la fois son désir d'autonomie et son souhait qu'elle soit toujours la « veilleuse » qu'elle a été pour lui. Aussi l'agresse-t-il pour s'en détacher. Face à un tel comportement paradoxal et quand les choses sont allées trop loin, seul un tiers (le père, un autre membre de la famille ou, éventuellement, un bon professionnel) peut aider à décoder le paradoxe et à repartir d'un bon pied.

Sa confiance

Comment réagir quand un garçon, à un moment ou à un autre, et parfois soutenu dans sa démarche par son père, s'exclame : « À toi, on ne peut pas faire confiance ! » ? D'abord en distinguant deux types de confiance, celle qui porte sur des actions quotidiennes (signer un carnet de notes, rappeler l'heure d'un rendez-vous, préparer les vêtements de sport), et celle qui émane d'un sentiment profond de soutien, de compréhension et d'amour et qui permet de juger de la solidité individuelle en cas de problème éventuel. Avec le premier type, en tant que mère, vous devrez sans doute rendre progressivement votre garçon responsable de la confiance qu'il vous fait et qui, parfois, peut tourner à la dépendance ou à l'exploitation de vos sentiments maternels toujours protecteurs. Pour la seconde, votre fils l'aura profondément et naturellement à votre égard, mais vous ne ferez que la renforcer en lui transmettant le sentiment de l'éprouver vous-même à son égard, lui donnant ainsi une image à laquelle il peut s'identifier. Si les émotions se communiquent implicitement en se diffusant – l'angoisse par exemple suscite l'angoisse –, il en est de même pour la confiance.

Le sentiment de confiance fonctionne en miroir, et les responsabilités ou la gestion que vous lui confierez lui donneront non seulement confiance en vous, mais en lui. La scolarité est, en la matière, un bon champ d'application. Un souci extrême pour le travail et les notes de votre fils risque d'être contre-productif sur le plan scolaire, mais aussi en termes de confiance, car on oublie que la réussite se bâtit surtout sur la confiance en soi. Moins on fait confiance à un enfant et plus il manque de confiance en lui ; il finit par manquer de confiance tout court, à l'égard des autres et même de vous-même, sa mère.

Je reçois souvent des mères inquiètes parce que leur garçon a connu un important fléchissement scolaire dans l'année ou les mois précédents. Le fils, souvent hostile à cette rencontre avec le « psy », dit toujours, à un moment ou à un autre, que, s'il n'y avait pas l'école, tout irait bien. La mère confirme. Vient ensuite la recherche de solutions. Lorsque je ne perçois pas de problème psychologique particulier, je passe un contrat avec l'enfant et je lui demande s'il est d'accord pour que, ensuite, je propose le même contrat à ses parents. Le contrat est le suivant : « Je te fais confiance, tu te remets à travailler, mais je te demande d'accepter de toi-même de revenir me voir à la fin du trimestre prochain pour voir si tu as tenu parole. Si c'est le cas, tu n'auras plus besoin de revenir me voir ; si ce n'est pas le cas, c'est qu'il y a effectivement un problème qui te bloque, et tes parents ont raison de souhaiter que je te voie. »

Sans exagérer, au cours de ma pratique professionnelle, j'ai rarement essuyé un refus de la part du garçon ou de la part des parents. Quel enseignement en tirer ? Qu'on a le droit de vouloir la confiance de son fils et qu'on l'obtient d'autant plus qu'on lui fait confiance dans le cadre d'un contrat établi. Si cette méthode ne marche pas, c'est que la confiance est déjà fortement détériorée ou que le problème se situe à un autre niveau.

Le contraindre

Antoine, un adolescent de 16 ans, a des problèmes. Il déclare tout de go qu'il est en « liberté surveillée ». Plusieurs pensées me viennent aussitôt à l'esprit. Ce garçon, que je suis en psychothérapie depuis plusieurs mois, m'a été adressé parce qu'il avait des difficultés scolaires auxquelles s'associaient une violence verbale souvent excessive mais relativement occasionnelle à l'égard de ses parents, en particulier de sa mère, ainsi que des problèmes de comportement que ses parents qualifient de « bêtises » (se faire prendre à voler un DVD dans un magasin ; « emprunter » un vélo avec la complicité d'un camarade, etc.).

Lorsque Antoine m'a dit qu'il était en « liberté surveillée », j'ai eu un moment d'hésitation sur la signification de cette phrase. Voulait-il me révéler quelque chose que j'ignorais ou qu'il ne m'avait pas avouée, à savoir une peine consécutive à un jugement, une contrainte légale et sociale ? Très vite, j'éliminai cette hypothèse car elle ne collait pas avec les premières rencontres que j'avais faites avec lui et ses parents. Il me vint alors à l'esprit qu'il se plaignait fréquemment des exigences de ses parents à l'égard de ses demandes répétées de liberté et d'autonomie (heures de rentrée du lycée, nombre de sorties le soir en semaine, heure de rentrée lors de ces sorties, etc.). Une troisième pensée surgit : Antoine ne voulait-il pas dire qu'il se sentait en liberté surveillée par rapport à ce que lui-même s'autorisait ou s'interdisait, par rapport à ce qu'il se sentait obligé de faire ou de ne pas faire ? Dernière hypothèse, Antoine pouvait aussi se référer à la situation psychothérapique et à ma personne, à moi, son psychothérapeute qu'il rencontrait chaque semaine avec une réticence variable selon les séances.

Le garçon s'explique et me dit qu'il s'agit pour lui d'un sentiment lié à l'attitude de ses parents qui ne lui font jamais suffisamment confiance, en particulier sa mère. Par exemple, me dit-il, elle l'a autorisé la veille à aller jouer dans une salle de jeux vidéo avec des amis, mais une demi-heure plus tard, elle est venue voir où il était. Pour un peu, je finirais par le croire quand il me dit que sa mère est trop anxieuse à son sujet. Je lui explique que cette « liberté surveillée » dont il me parle représente sûrement pour lui une contrainte, mais qu'elle est la résultante de toutes les règles familiales ou sociales auxquelles un être humain, vivant en collectivité, doit se soumettre. La seule différence est que, dans sa famille, elle n'a pas été posée comme une donnée incontournable et nécessaire de façon explicite. Il manque l'expression explicite d'une loi qui règle les échanges et les relations familiales. En effet, à aucun moment, son père ou sa mère ne lui ont dit : « Tu dois faire ceci et pas cela ! » Antoine définit la relation à ses parents en utilisant la formule de liberté surveillée qui, à ses yeux, rend le mieux compte de ce qu'il ressent. Il ajoute de façon significative : « Mais ma mère n'a pas le droit de me contraindre ; mon père oui, mais pas ma mère ! » Je lui demande pourquoi. Il me répond : « Une mère, c'est fait pour aimer, pas pour surveiller ou pour contraindre ! »

De tout temps, l'adolescence a été marquée par la reconnaissance de l'organisation et des règles sociales du groupe auquel le sujet appartient. Les fameux rites d'initiation avaient entre autres cette fonction : si tu veux acquérir la place qui te revient dorénavant dans notre communauté, tu dois montrer que tu sais te plier aux exigences qui en ont fait l'histoire, la survie et la culture. Cela a été de tout temps nécessaire car le jeune en grandissant n'accepte pas naturellement les règles sociales ni donc que sa liberté de décider, de penser et d'agir soit toujours soumise à des contraintes. La survie personnelle et en société est à ce prix. Déjà tout petit, pour qu'il grandisse, ses parents, sa mère en particulier, ont dû exercer sur lui des contraintes pour qu'il mange régulièrement, qu'il dorme suffisamment, qu'il aille à l'école au lieu de jouer, qu'il s'habille, etc. Je fais remarquer à Antoine qu'il ne serait pas ce qu'il est aujourd'hui sans les contraintes qu'il a acceptées naguère pour son plus grand bien. Il sait que j'ai raison, mais me dit qu'il n'est plus un enfant. Le débat ainsi s'instaure. Il faut souligner que les adultes entourant cet adolescent, sa mère notamment, mais aussi moi en tant que thérapeute, nous nous sentons nous-mêmes soumis à une contrainte : celle de ne pouvoir accepter ce que cet adolescent se faisait vivre et faisait vivre à son entourage.

Contrairement à ce qu'Antoine prétendait, j'avais été étonné de la facilité avec laquelle sa mère supportait les difficultés qu'il causait et les conséquences fâcheuses que cela occasionnait pour la vie familiale. Cette absence de révolte à l'égard de la contrainte que ce garçon faisait subir à l'ensemble familial m'a conduit à me demander si cette mère, qui souffrait du comportement de son fils, avait pu ou su, au cours de l'enfance de ce dernier, lui imposer les contraintes nécessaires. Autrement dit, quel bénéfice inconscient les comportements de son fils pouvaient-ils apporter à cette femme ? S'agissait-il d'une attraction personnelle répondant à un besoin inconscient d'excitation lui permettant, en se faisant des soucis, de se prémunir contre sa propre dépression ? S'agissait-il d'un renvoi, lui aussi inconscient, à des représentations internes de souvenirs pénibles de contrainte qu'elle avait elle-même subies et auxquelles, à l'époque, elle n'avait pas pu ou pas su s'opposer, son fils réalisant ainsi ce qu'elle aurait aimé faire ? S'agissait-il, toujours inconsciemment chez cette mère, de la mise en scène, grâce à ce garçon, d'un désir de disqualification du père dans sa fonction d'autorité ? Les psychothérapies permettent parfois de découvrir avec étonnement, pour le thérapeute et surtout pour le patient, des motivations inconscientes en contradiction avec les souhaits exprimés. Le discours explicite est parfois même aux antipodes de ce qui est désiré au plus profond.

Pour moi, les mères ont le droit de contraindre leur fils dans ce qu'elles jugent utile pour lui : c'est un acte de protection et donc d'amour. Je me souviens ainsi d'un autre adolescent que j'avais reçu pour des problèmes de comportement. Ses parents s'étaient affolés, car il avait inscrit au cutter sur son bras, de façon très profonde, en tranchant dans le vif : « *Kill them !* » (« À mort ! »). Pour moi, une telle déclaration contenait implicitement, comme la lecture à haute voix permettait de l'imaginer, une demande d'amour (« Qu'ils aiment ! »). Les reproches explicites d'un garçon sur la liberté ou la contrainte qu'exerce un parent et, en particulier, une mère, masquent fréquemment un besoin de protection et d'amour. Le message peut être paradoxal ; le prendre au premier degré serait une erreur.

Le défendre

Dans le même ordre d'idées, un autre droit fondamental de la mère, comme du père, est de protéger son fils contre tous les dangers, physiques, moraux, sociaux qu'il peut rencontrer. Une mère s'inquiétera légitimement si son fils se plaint d'un enseignant par qui il se sent « maltraité ». Elle doit alors lui donner le sentiment qu'elle prend au sérieux ce qu'il dit et s'engager à rencontrer ce professeur. Son fils a pu, ou non, grossir et même travestir les faits, mais qu'il en ait parlé suffit à vouloir des éclaircissements, quels qu'ils soient. De même, une mère s'inquiétera légitimement si son fils se plaint d'être agressé par une bande à l'école ou s'il s'est fait attaquer dans la rue. Elle s'inquiétera encore plus légitimement s'il se plaint d'un adulte qui aurait des attitudes ou des gestes déplacés à son égard.

Certes, il n'est pas toujours facile de faire la part entre la réalité des faits, l'interprétation inexacte mais de bonne foi d'un enfant et un mensonge ayant valeur d'appel, mais, justement, un appel, quel qu'en soit le contenu, doit être entendu. Dans les cas les plus difficiles, ne traitez pas la situation seule, même si votre garçon demande le secret. Faites-lui comprendre, même s'il le refuse dans un premier temps, que c'est trop sérieux pour être dissimulé. Ici plus qu'ailleurs, le temps de l'échange et du dialogue est nécessaire pour agir dans le respect de chacun, mais aussi de la loi.

Partager l'éducation avec le père

Combien de fois des mères m'ont demandé des conseils pour aider leur fils en difficulté, en raison d'une défaillance paternelle dans l'éducation de celui-ci ! En de telles circonstances, le rôle que j'ai toujours tenté d'assumer a été celui de passeur entre le garçon et son père, répondant ainsi au souhait de la mère. Je suis profondément persuadé que, chaque fois que cela est possible, l'éducation d'un enfant se partage entre la mère et le père, non seulement quand des difficultés se présentent, mais au fil des jours. Certes, il existe des situations aujourd'hui où ce partage est complexe, voire impossible (voir p. 223), mais dans les familles classiques où existent un père et une mère, le problème qui se pose est généralement d'un autre ordre ; il tient soit à l'autorité parentale, soit aux attentes du père et de la mère

en matière de comportements scolaires, affectifs et relationnels.

» *L'AUTORITÉ PARENTALE*

Les garçons contestent facilement et ouvertement l'autorité. Ils peuvent déclarer tout de go que les manifestations
d'autorité de leur père, de leur mère ou des deux sont arbi-
traires, inutiles, qu'elles expriment une volonté gratuite de
limiter leur liberté, voire de les brimer. Ils savent souvent
jouer sur les différences d'attitudes ou de points de vue
entre leur mère et leur père. Or, contrairement à l'image
traditionnelle qui veut que la mère cède et cède trop facilement, les mamans d'aujourd'hui sont généralement très
attachées à ce que leur fils respecte l'autorité parentale.

La conception de l'autorité parentale est très sensible
aux représentations sociales et aux idéologies qui
dominent à telle ou telle époque. Ainsi, du temps des
Grecs, seule la notion de « domination » avait cours, pas
celle d'autorité. L'*auctoritas*, qui vient du verbe latin
augere, est une idée romaine et signifie, en respect avec
l'étymologie, une augmentation du pouvoir donnant une
assise indiscutable. Elle sera d'ailleurs reprise par le chris-
tianisme, religion monothéiste qui donne à Dieu le père le
pouvoir absolu, mais en y ajoutant une dimension
transcendantale. Depuis, l'avènement de la démocratie a
fait surgir une contradiction majeure entre l'*a priori* cen-
tral que constitue le principe d'égalité entre tous les
hommes et une exigence de vie collective reposant sur une
hiérarchie de valeurs et, donc, sur l'autorité. Cette contradiction a amené, au cours des trente dernières années, à
remettre en cause toute forme d'autorité, que ce soit en

politique, dans l'entreprise, en famille ou à l'école. Heureusement, les excès sont toujours suivis de mouvements régulateurs, et s'il était de bon ton de décrier l'autorité parentale à la fin des années 1960 et durant les années 1970, il en va autrement de nos jours.

Reste à s'entendre sur ce qu'il est nécessaire de mettre à l'intérieur de cette « autorité ». En matière d'éducation, la plupart des spécialistes recommandent d'organiser un équilibre entre les droits des parents d'exercer une autorité sur leur enfant et les droits des enfants de réclamer une liberté d'agir et de penser. Comment faire en pratique ? Peu se risquent à donner des conseils précis et concrets, et beaucoup se contentent de prôner la contractualisation entre l'enfant et ses parents ou de défendre le retour à une dimension transcendantale, source d'autorité morale.

Or, s'il est relativement facile de faire acte d'autorité dans une société où les codes sociaux sont assez bien définis, c'est beaucoup plus délicat dans une société où il semble ne plus exister de rituels clairement énoncés. Les parents d'aujourd'hui butent sur cette difficulté : l'absence de règles communément acceptées par l'ensemble du groupe social, car il y a toujours un sous-groupe (culturel, social, politique) pour réfuter une éventuelle règle. Dans nos sociétés occidentales où triomphent l'individualisme et le libéralisme éducatif, les parents se retrouvent livrés à eux-mêmes avec, en face, des enfants et, surtout, des adolescents qui réclament naturellement la suppression de tous les interdits, du moins en apparence.

Chaque enfant, chaque adolescent a toujours dans son cercle de relations un camarade qui, lui, a le droit de faire « ça ». Il peut s'agir de sortir le soir, d'aller en « boum », de fumer, de partir en vacances sans les parents, de rester à la

maison un week-end seul, de prendre sa moto, d'inter-
rompre sa scolarité, etc. « Comment voulez-vous lui interdire ce que les parents de ses amis autorisent ? » me disent
certaines mères. Peut-être en se rappelant que, en la
matière, les garçons ont une forte tendance à raconter ce
qui les arrange.

Pour mieux comprendre le problème de l'autorité parentale, il me semble intéressant de distinguer trois types
d'autorité : l'autorité qui encourage ; l'autorité qui permet ;
l'autorité qui interdit, c'est-à-dire l'autorité affective, l'autorité morale et l'autorité formelle[2].

– *L'autorité affective* repose sur l'amour et les souhaits de
  bonheur et de réussite que l'on a pour son enfant. Si
  l'enfant respecte ses parents et en particulier sa mère, ce
  n'est pas uniquement, et heureusement, parce qu'elle l'a
  nourri, lavé ou habillé ; c'est surtout parce qu'elle l'aime,
  le console, qu'elle lui fait plaisir chaque fois qu'elle le
  peut. En retour de l'amour et du bien-être qu'elle lui
  apporte par ailleurs, il veut bien lui faire plaisir en se
  pliant à ses demandes (mettre la table, par exemple), et
  il découvre, d'ailleurs, très petit, ce pouvoir remarquable
  qu'il détient sur ses parents en leur faisant, ou non,
  plaisir. À l'adolescence, les parents, de façon plus ou
  moins consciente, vont continuer d'utiliser ce rapport de
  séduction, parfois pour éviter un comportement d'opposition ou un comportement conflictuel qui les fait souffrir ou leur fait peur. De façon générale, l'autorité affective, partageable entre la mère et le père, est une
  autorité encourageante, car elle donne à l'enfant le sentiment que ce qu'il fait bien, lui fait du bien.
– *L'autorité morale*, celle qui donne le pouvoir à l'enfant
  d'expérimenter ses propres limites et de se construire

ses propres règles, est beaucoup moins naturelle, mais elle est tout aussi importante et fondamentale. Ce type d'autorité débute dans la petite enfance et renvoie au type de rapport qui s'est instauré à cette période de la vie, non seulement dans la réalité mais aussi dans la pensée de chacun des membres de la famille. En d'autres termes, l'autorité morale est une autorité symbolique qui se fonde sur des images parentales intériorisées, c'est-à-dire des représentations mentales que l'enfant se fait de ce qui, pour ses parents, est bien ou mal, bon ou méchant, juste ou injuste. Ces images intériorisées, maternelles ou paternelles, structureront plus tard la vie psychique du sujet et seront à l'origine de ses réactions, internes d'abord, comportementales ensuite. Évidemment, un enfant et plus encore un adolescent sera sensible aux éventuelles contradictions d'un de ses parents ou de ses parents entre eux. Dans ces cas, il ne manquera pas de penser, puis de dire : « Tu demandes de faire cela, mais tu ne le fais pas toi-même ! » ou alors : « Tu dis cela, mais papa dit le contraire ! » Ces phrases sont douloureuses, car elles tombent souvent juste.

– *L'autorité formelle* est celle qui dicte l'interdit : on ne dépasse pas une ligne jaune continue, car c'est interdit, mais on peut doubler quand la ligne est pointillée ; on ne jette pas de couteaux à travers la salle à manger, mais on peut se jeter des coussins à travers la chambre à coucher. S'il est important d'expliquer chaque fois à un enfant pourquoi c'est interdit, il faut bien reconnaître que l'autorité formelle contient une relative part d'arbitraire. C'est souvent contre celle-ci que le garçon s'élève en premier : cette autorité, par l'arbitraire qu'elle sous-tend, demande encore plus que les deux autres un consensus entre les deux parents.

> Un jeune adolescent souhaite sortir un soir. Sa mère lui dit : « D'accord, mais je veux que tu rentres à 23 heures. » Bien entendu, la limite horaire énoncée peut varier selon l'âge, les circonstances (année scolaire, vacances), la nature de la sortie ou les autres adolescents présents. Souvent, lorsqu'il s'agit des premières sorties autorisées, l'adolescent respecte la limite horaire, mais il n'est pas rare qu'un jour, il se mette à la contester vigoureusement : « Pourquoi 23 heures, et pas 23 h 30 ou minuit ? » Toutes les familles connaissent ce genre de discussion… Or cette courte phrase « je veux que tu rentres à 23 heures » contient en réalité des types d'autorité distincts. La précision « à 23 heures » signale les limites du cadre que l'adulte entend fixer et relève de l'autorité formelle. Il y a un certain arbitraire dans cette limite, arbitraire que l'adolescent ne manque pas à juste titre de signaler, même si les parents mettent en avant des justifications matérielles. Cependant, cette discussion souvent prolongée sur l'arbitraire de la limite masque un autre message qui, la plupart du temps, n'est pas remis en question, à savoir : « J'autorise que tu sortes et que tu t'amuses dans des limites raisonnables… », c'est-à-dire : « Je t'encourage à être responsable de tes actes et de ton comportement compte tenu de ton âge », ce qui combine une dose d'autorité affective, une dose d'autorité morale et une dose d'autorité formelle. Très souvent d'ailleurs, le jeune adolescent ne met pas en question cette présentation, alors qu'il focalise sur l'heure du retour. Pour autant, la maman a raison de donner une heure précise, car ne pas en donner pourrait être vu par le jeune garçon comme un manque de limite ou une marque de désintérêt (« Ça m'est égal que tu rentres ou que tu ne rentres pas »).

Une fois les trois composantes de l'autorité parentale définies, reste à préciser les écueils à éviter dans son exercice. D'abord, le renoncement, le défaitisme ou un laisser-aller qui, très rapidement, sera vécu par l'enfant comme une indifférence ou un abandon de ses parents. À l'opposé, l'autorité peut être trop rigide, fixée sur des interdits ; elle ne permet pas alors à l'enfant de faire l'expérience du dialogue et ne lui donne que deux solutions : soit la rébellion ouverte, toujours à fleur de peau chez le garçon, avec les passages à l'acte qui s'ensuivent, soit la soumission et le renoncement. Dans l'un et l'autre cas, le travail psychologique progressif qui caractérise l'acquisition de la vie sociale est entravé ou profondément modifié. Enfin, le troisième écueil est celui d'une autorité qui ne serait exercée que par l'un des deux parents ou de façon contradictoire par l'un et l'autre parent. Toute autorité parentale met en jeu les relations du couple. Jadis, on insistait beaucoup sur l'importance pour les parents de ne pas se dévaloriser l'un l'autre et de ne pas contester systématiquement les décisions de l'un ou de l'autre. Aujourd'hui ce principe peut être difficile à maintenir.

» *LES ATTENTES PARENTALES*

Chaque parent est lui-même issu de deux parents qui lui ont transmis leurs propres valeurs et leur propre modèle éducatif. Ces valeurs et ces modèles peuvent être très proches, ils peuvent être aussi totalement différents. Autre situation : celle d'un parent, père ou mère, qui ne veut absolument pas reproduire le modèle éducatif de ses propres parents, soit parce qu'ils étaient trop autoritaires, soit parce qu'ils étaient trop laxistes. Une mère qui partage l'éducation de son fils avec le père prend le risque d'être confrontée à ce problème, mais une mère qui exclut le père prend un autre risque, souvent plus grave : celui, à un

moment ou à un autre, de voir son fils soutenir le parti
paternel pour ne plus avoir à respecter une autorité qui lui
pèse.

Les conséquences d'un désaccord parental sont d'autant
plus lourdes que l'un ou l'autre parent traverse une période
difficile de sa vie. Le danger principal est alors que ces difficultés, rencontrées par nombre d'adultes, entrent en réso-
nance avec les difficultés propres de l'enfant, aboutissant à
une amplification réciproque et, parfois, à l'éclatement de
la cellule familiale. Face à ces adolescents en plein changement, en plein conflit psychique, qui se débattent pour
trouver une solution, les parents, aussi, connaissent des
remises en question, revivent des conflits anciens parfois
estompés, ressentent des exigences nouvelles. Pour certains couples confrontés à la « crise du milieu de la vie »,
les rapports conflictuels avec l'enfant peuvent prendre la
place d'une conflictualité latente à l'intérieur même du
couple ou réactiver un conflit conjugal latent. Mon expérience de psychologue et de psychiatre m'a montré que
dans un nombre non négligeable de cas, c'était la conjonc-
tion entre la crise de l'adolescent et la crise des parents qui
installait les uns et les autres dans un registre de plus en
plus pathologique. Le rôle du thérapeute est alors de tenter
de dénouer les fils d'un nœud extrêmement serré, de façon
qu'une évolution puisse se produire pour chacun.

Chapitre VIII

FAMILLES, JE VOUS AIME !

À la célèbre formule gidienne « Familles, je vous hais ! »,
je préfère personnellement la position inverse. Mon expérience professionnelle m'a appris que l'être humain a
besoin d'une famille, différente évidemment selon les
époques et les cultures, mais qu'il souffre toujours, plus ou
moins silencieusement, lorsqu'elle se désagrège et qu'il est
toujours en quête de ses origines lorsqu'elles sont mysté-
rieuses. Pour autant, les liens familiaux n'en sont pas
moins complexes, conflictuels, mouvants, en partie parce
qu'ils sont sensibles aux interactions qui rapprochent ou
opposent tel ou tel membre de la famille. D'où la question
qui nous occupe ici : de quelle façon une relation spécifique, celle qui unit une mère à son fils, influe-t-elle sur la
dynamique d'ensemble et sur les autres relations spécifiques présentes dans une famille ? En d'autres termes,
comment le père peut-il comprendre cette relation sous ses
différents aspects ? Quel en est le retentissement sur la fra-

trie ? Comment cela se passe-t-il lorsqu'il y a un seul garçon au milieu de plusieurs filles ou l'inverse, une fille au
milieu de plusieurs garçons ? Et comment cela se passe-
t-il quand il n'y a que des garçons ?

Monsieur « Loyal » et Madame « Loyale »

Je compare souvent une famille à une piste aux étoiles
où, sous la direction de Monsieur et Madame « Loyal », à
savoir le père et la mère, de petits acrobates font chacun
leur numéro, chacun devant en même temps veiller au
caractère homogène du spectacle. Dans la dynamique
parentale de certaines familles, il n'est pas rare d'observer
que le lien qui unit une mère à un fils semble exclure, pour
une part plus ou moins importante, le père. Ce dernier a
pu lui-même favoriser cette situation, soit en se mettant à
l'écart, soi en établissant une relation privilégiée avec un
autre enfant, un autre fils ou sa fille préférée. Il est difficile
ici de savoir qui est la poule et qui est l'œuf. S'agit-il d'un
lien trop fort de la part de la mère ? S'agit-il d'un retrait
volontaire du père ? Le plus souvent, je suis obligé de
constater que le système familial en vigueur résulte d'effets
cumulés. Un cercle vicieux s'installe sans que personne ne
l'ait voulu volontairement ou consciemment. Parfois, en
revanche, des situations familiales particulières viennent
d'emblée éclairer les raisons de ce système.

Jérôme et Lucie ont deux filles, Sophie et Myriam, et un garçon, Alban,
l'aîné. Jérôme, informaticien, voyage constamment en France ou à l'étranger pour des raisons professionnelles. Depuis la petite enfance d'Alban,

Lucie s'est occupée seule de ses enfants. Elle reconnaît que sa relation à Alban est très forte. Étant l'aîné, elle l'a particulièrement choyé, puis l'a peu à peu considéré comme le petit homme de la maison. Celui-ci en a profité. Il adore sa mère et s'est rapidement opposé à son père, lors des retours de ce dernier, en particulier pendant les vacances scolaires. Ces deux parents se souviennent d'une phrase d'Alban, alors âgé de 9 ans, qui avait été la source d'une longue discussion entre eux : « Ici, c'est moi qui commande ! », avait hurlé Alban à l'intention de son père. La phrase disait bien ce qu'elle voulait dire, mais on peut aussi comprendre rétrospectivement cette opposition comme un « appel » au père pour qu'il soit plus présent. Jérôme, furieux et en même temps culpabilisé, s'en était pris à sa femme, lui reprochant de le tenir à l'écart de son fils. Lucie avait pensé que le propos de son mari était injuste mais elle avait en même temps pris conscience du risque que pouvait représenter son attachement à son fils pour l'équilibre de la famille et pour Alban lui-même. Après cet épisode, la barre n'avait pas été facile à redresser ; chacun comprenait la situation, mais chacun avait sa vie, ses habitudes, ses rancœurs.

Le début d'adolescence d'Alban fut tumultueux. Il était devenu un petit tyran domestique, en particulier à l'égard de ses sœurs. Myriam, la plus jeune, était son souffre-douleur. Comme par hasard, c'était celle considérée par chacun comme la préférée de son père. Je réussis au bout de plusieurs séances à montrer à Alban, aidé par ses deux parents, que sa mère incontestablement l'aimait beaucoup, mais que son père aussi. Lorsque son fils eut 15 ans, ce dernier lui proposa de l'accompagner lors d'un de ses déplacements professionnels dans la Silicon Valley. Il lui fit découvrir son métier, lui fit rencontrer de jeunes créateurs de « start-up » fous d'informatique et lui acheta à son retour en France un ordinateur dernier cri. Comme tous les garçons de son âge, Alban prit ses distances vis-à-vis de sa mère, montra même parfois une certaine arrogance, mais celle-ci comprit très bien le besoin qu'avait son fils de s'identifier à son père. Elle trouva par moments que c'était difficile et regretta cette période bienheu-

reuse où son fils et elle étaient si proches, mais son souci majeur fut heureusement l'équilibre et le bon développement de son garçon.

Frère(s) et sœur(s)

L'histoire précédente aurait pu tout aussi bien illustrer
l'impact de la relation mère-fils sur la fratrie. En effet, il
n'est pas rare que ce lien privilégié agace les filles de la
famille, souvent martyrisées par le garçon qui entend bien
profiter de son avantage et de son statut de chouchou.
Même si la mère répète fréquemment dans cette situation :
« Arrête d'embêter tes sœurs ! », le garçon continuera de se
sentir le plus fort. Enfin, on retrouve également dans la
famille de Jérôme et Lucie cette partition, souvent
involontaire et affectivement spontanée avec, d'un côté, la
mère et son fils et, de l'autre, en miroir et unis par une
relation tout aussi privilégiée, le père et sa fille. Mais
d'autres situations existent. Ainsi, une mère peut trouver
chez l'un de ses enfants des attitudes et des traits de caractère qu'elle ne supporte pas chez son mari et, chez un
autre de ses enfants, des dispositions et des intérêts qu'elle
apprécie et auxquels elle adhère car elle s'y reconnaît.
L'enfant dont elle est le plus proche sera alors l'exemple à
suivre ; l'autre, celui qui n'y arrive pas ou qui ne veut pas y
arriver par révolte ou par chagrin, le mouton noir. La
conséquence sera souvent une mésentente profonde entre
les deux enfants, quel que soit celui qui a la « bonne » ou
la « mauvaise » image.

Léa et Thomas ont un an d'écart. Karine, leur mère, a le sentiment qu'elle les a aimés de la même façon quand ils sont nés et quand ils étaient petits, mais Thomas a, dit-elle, toujours été fragile. Petit, il a fait une méningite sans séquelles, mais il a développé, apparemment sans rapport, un asthme qui l'a handicapé toute son enfance, l'obligeant en hiver à rester souvent chez lui à cause de bronchites à répétition. Léa est, elle, en très bonne santé. « Un vrai garçon manqué », constate sa mère qui ajoute : « C'est incroyable ce qu'elle ressemble à son père ! » D'ailleurs, Karine présente elle-même un terrain asthmatiforme et en a aussi souffert, tout comme son fils, dans son enfance.

Cette mère identifie son fils à elle-même et sa fille à son mari. Elle n'en aime pas moins sa fille, mais elle sent bien qu'elle n'a pas les mêmes sentiments pour l'un et pour l'autre. Il semble que, pendant leur enfance, le frère et la sœur y aient, chacun, trouvé leur compte. Thomas aimait se faire « chouchouter » ; Léa aimait s'affirmer et réussir tout ce qu'elle entreprenait. Aujourd'hui, Karine vient me voir accompagnée de son mari, car Thomas est en échec scolaire. Quand je vois Thomas seul, celui-ci est en passe de redoubler sa seconde. Sa sœur est déjà en terminale, ayant sauté la classe de CP. Thomas me donne le sentiment qu'il fuit la réalité. Il fume tous les jours du haschisch et passe son temps à jouer sur son ordinateur. Il est malheureux, car il sent qu'il déçoit son père mais aussi sa mère qui, pourtant, me dit-il, l'a toujours soutenu. Le terme est bien choisi. Il m'avoue que sa sœur réussit tout, qu'elle est le contraire de lui : quand elle pense blanc, lui pense noir. Il ajoute qu'ils ne se sont jamais entendus, encore moins aujourd'hui qu'hier parce qu'elle lui fait la morale.

Tout mon travail avec ce garçon sera une fois de plus de le dégager des représentations négatives toutes faites qu'il a de lui-même et de lui donner confiance en lui, en lui permettant de s'identifier un minimum à son père, de s'autoriser à se mettre en compétition avec sa sœur, tout en restant proche de sa mère : lui enlever ce « soutien » ne ferait, en effet, que le rendre plus seul et plus malheureux.

Que des garçons !

Une famille qui n'est composée que de garçons présente des particularités liées aux spécificités masculines, ici naturellement renforcées, et, parfois, à un relatif regret chez l'un ou les deux parents de ne pas avoir d'enfants des deux sexes. Ce qui caractérise le garçon et encore plus un groupe de garçons est avant tout la tendance à vivre la vie dans une atmosphère de compétition, de rivalité et d'attaque du voisin. Dans une famille où cohabitent un garçon et une fille, la phrase type est : « Arrête d'embêter ta sœur ! » Dans une famille où cohabitent plusieurs garçons, la phrase type sera : « Arrêtez de vous chamailler ! » On imagine facilement que cette phrase sera prononcée un nombre de fois proportionnel au nombre de garçons. La bonne nouvelle est que cette rivalité pour un rien s'atténuera fortement avec le temps et sera même remplacée par une attitude de soutien actif des garçons entre eux au milieu ou à la fin de l'adolescence. Malheureusement, cette union pourra se faire au détriment des parents contre lesquels les garçons s'opposeront en se soutenant réciproquement.

Qu'il y ait deux ou plusieurs frères, une mère semble toujours comblée d'avoir des fils. Elle peut néanmoins, par moments, trouver qu'élever des garçons est difficile, qu'il faut sans arrêt les occuper et qu'ils réclament toujours beaucoup d'attention. Devant un match de foot, dans la cour de l'école, le jardin ou, pire, dans le salon, devant la télévision monopolisée les soirs de finale, devant le choix systématique des films de guerre ou d'action, cette mère trouvera que leur présence renforce chez leur père une régression spontanée qui lui donne le sentiment d'avoir quatre « gamins » à la maison et d'être bien seule dans sa féminité, même si elle est fière, au fond, d'être sans rivale.

En cas de préférence maternelle pour l'un des fils, ce qui peut toujours arriver, la rivalité entre les garçons s'exacerbera très fortement, mais elle restera ponctuelle et liée à une action particulière. D'ailleurs, certaines mères, lorsqu'elles n'ont que des garçons, craignent tellement de susciter de la jalousie ou de la rivalité toute naturelle qu'elles mettent tout en œuvre pour qu'aucune différence n'apparaisse dans leur attitude. Elles souhaiteront par exemple qu'ils aillent à la même école, qu'ils aient les mêmes cadeaux et oublieront parfois de prendre en compte leurs goûts ou leurs intérêts différents. Un jeune adulte me racontait ainsi qu'il avait longtemps souffert que sa mère ne comprenne pas qu'il n'aimait pas les mêmes amis que ses frères beaucoup plus extravertis.

Le fils unique

Si un fils occupe fortement l'univers affectif de sa mère, lorsqu'il y a plusieurs garçons dans la fratrie, cet univers doit se partager, et ce partage ne se fait pas sans rivalité. Le fils unique, lui, n'est pas confronté à ce problème ; certains diront même qu'il ne l'est pas assez. Son seul rival est son père, pour qui il est souvent aussi le centre du monde. Un garçon sans frères et sœurs ne sera pas confronté à la dynamique de la fratrie. Il ne connaîtra rien de la rivalité ou de la complicité qui lient les enfants d'une même famille. Il ignorera tout de l'ouverture sur le monde, sur la complexité des relations humaines, qu'inaugurent affectivement les attentes ou les conflits avec un frère ou une sœur accusé d'être le chouchou du père ou de la mère. Un fils unique ne pourra pas non plus adopter avec ses jeunes frères et sœurs les attitudes parentales qu'il dénonce chez ses parents. En revanche, pendant toute son enfance, au moins, il sera encadré, choyé et aimé sans les limites qu'impose un partage. De fait, les difficultés surgissent généralement à l'adolescence, quand le besoin de prendre de la distance vis-à-vis des parents, et en particulier de la mère, s'oppose aux bénéfices qu'il pouvait tirer de son statut d'enfant unique et à la culpabilité qu'il ressent de s'éloigner de sa mère, mais aussi de son père, lesquels ne peuvent reporter leur investissement sur un autre enfant. Inutile de dire que ces difficultés seront d'autant plus intenses que la mère élève seule un fils unique. Le contrepoint sera l'amour qu'elle lui porte et la force que le garçon en tire.

Chapitre IX

LES FAMILLES D'AUJOURD'HUI

Deux évolutions majeures ont marqué notre société au cours des trente dernières années : le rôle des femmes et les transformations familiales. Le premier aspect concerne tout autant les femmes, en particulier quand elles sont mères, les « supermamans », que les hommes, en particulier dans leur fonction paternelle. Le second aspect concerne les transformations familiales contemporaines. Sur 16,3 millions d'enfants de moins de 25 ans vivant au domicile familial en France, 4,3 millions vivent dans une famille monoparentale ou recomposée et 1 enfant sur 4 en France vit donc avec un seul de ses parents, le plus souvent la mère[1].

N'oublions cependant pas que, de tout temps, dans une maison, les moments de crises entre les parents et les enfants se sont déroulés souvent en une séquence répétitive et facilement prévisible. Les transformations récentes de la famille ont modifié les protagonistes et les enjeux, mais elles n'ont rien changé à ce phénomène. Qu'il s'agisse d'une famille « classique », recomposée ou monoparentale, la prévisibilité des signaux déclencheurs et du développement des processus repose sur des constantes d'autant plus impressionnantes qu'on a du mal à les contrôler même quand on les connaît. Pourtant, les enfants devraient apprendre de leurs parents à faire la distinction entre ce qui est un mouvement d'humeur passager, une désobéissance sans conséquence, un refus anxieux et, à l'autre extrême, une mésentente profonde, une irritabilité constante ou un événement catastrophique et tragique. La situation matrimoniale du couple parental ne représente pas un facteur aussi pertinent qu'on le croit pour expliquer les problèmes des enfants ; en revanche, le climat familial et surtout la qualité du contact avec les parents sont des facteurs significatifs différenciant les enfants avec ou sans problème, que les parents soient en couple, séparés ou vivent en famille recomposée.

Des « mamans super » aux « supermamans »

« Ma maman est super ! » Un garçon n'a jamais eu besoin que sa mère soit P-DG, chirurgien ou avocat pour l'aimer et l'admirer. Les fils ont de tout temps ressenti un amour et une admiration qui dépassent largement ce qu'ils voilent sous une distance pudique ou une opposition de forme, rendant ainsi à leur mère l'amour qu'elle leur porte. Certes, traditionnellement, on entendait les garçons comparer leurs pères et manifester indirectement un rapport de force par « père interposé ». « Mon père est le plus fort ! » disaient les plus petits. « Mon père a une grosse voiture », disaient des garçons plus âgés. « Mon père a plus d'argent ! » disaient encore les plus grands. Toutefois, lorsqu'ils parlaient de leur mère, ce n'était pas aux apparences qu'ils se référaient mais à un sentiment profond mêlant amour et admiration.

De tout temps, au-delà du statut social ou professionnel, une fierté réciproque a uni les mères et leur fils. De tout temps, aussi, le désir de réussite des garçons s'est appuyé certes sur une identification directe au père (ou indirecte par désir de le surpasser), mais aussi sur un amour profond pour la mère et sur le désir d'en être ainsi encore plus aimés. On peut donc se demander l'effet qu'a sur les représentations des garçons le statut de « superwoman » que beaucoup de femmes peuvent revendiquer par l'association d'une vie professionnelle bien remplie et d'une vie familiale dont elles restent souvent le pilier. Cela complexe-t-il les garçons ou, au contraire, leur donne-t-il plus de force pour asseoir leur confiance en eux et leur désir de réussir dans la vie ?

De tout temps, s'affirmer par amour pour sa mère

Le désir de s'affirmer n'est pas simplement dû à des représentations sociales ou à des personnages publics auxquels on a envie de ressembler. Si c'était aussi simple, comment expliquer que ces images, accessibles à tous, stimulent certains, mais en agacent d'autres au point qu'ils les rejettent violemment ? Si c'était aussi simple, comment expliquer que certains semblent intensément habités par le désir de s'affirmer ou de réussir socialement et que d'autres ne le veuillent ou ne le puissent pas ? La psychologie humaine nous a appris que ce désir de s'affirmer et de réussir dépend de l'estime de soi et d'une instance psychique désignée sous le nom d'idéal du Moi. Comment se construit, chez l'être humain, cette instance psychique ? Ici, la psychanalyse offre une explication claire et satisfaisante : « Ce que l'homme projette devant lui comme son idéal, explique Freud, est le substitut du narcissisme perdu de son enfance ; en ce temps-là, il était à lui-même son propre idéal[2]. » Comment imaginer qu'un bébé puisse être à lui-même son propre idéal, si ce n'est en se sentant aimé et admiré par ses parents, en particulier par sa mère ? Plus tard, le Surmoi, l'instance de censure et l'idéal du Moi se formeront par identification aux parents, au père et à la mère ; même si le Moi obéit au Surmoi par peur de la punition, il obéit à l'idéal du Moi par amour[3]. Chez un garçon, l'idéal du Moi est classiquement attribué à une bonne intériorisation de l'identification au père, mais on oublie trop souvent que cet idéal du Moi du garçon repose aussi sur une bonne intériorisation de l'amour maternel et de la projection des attentes narcissiques de la mère à l'égard de son fils. En d'autres termes, l'idéal du Moi du garçon s'est correctement constitué lorsque le garçon a définitivement intégré le vœu de sa mère (« Je t'aimerai d'autant plus que tu désireras réaliser ce que j'aimerais que tu deviennes ») et celui de son père (« Tu dois être ainsi »). La relation entre la mère et la fille amènera évidemment à une construction différente de cet « idéal ». La fille intériorisera avant tout l'idéal du Moi de la mère (« Réalise ce que j'aurais aimé être »), mais son idéal s'appuiera aussi sur le désir de séduire son père. En retour, on voit très bien comment, chez le garçon, un père écrasant ou une mère indifférente entrave la construction positive de l'idéal et comment, chez la fille, un père indifférent à elle ou une mère sans idéaux personnels arrive au même résultat.

Pour la psychanalyse, le narcissisme, c'est-à-dire la représentation de soi, est le terreau sur lequel se constituent la force de caractère et la capacité à affronter efficacement le monde. Or c'est d'être aimé qui nourrit le sentiment d'estime de soi. Les recherches récentes confirment qu'un fort attachement à la mère aide le garçon à avoir une bonne estime de lui. Une étude a évalué le sentiment d'identité chez des adolescents, dont on sait la fragilité de l'image de soi (le fameux « qui suis-je ?) ». Qu'il s'agisse de filles ou de garçons, cette identité était d'autant plus établie qu'ils étaient positivement attachés à leur mère. Les garçons ont donc besoin de se sentir fortement attachés à leur mère pour être heureux et suffisamment confiants en eux. En même temps, ils doivent prendre suffisamment de distance pour se sentir autonomes, une fois sortis de l'enfance. Les filles gèrent ce rapport indépendance-autonomie par une ambivalence profonde avec leur mère ; les fils par la distance. Mère et fils partagent le même dilemme : comment être un petit garçon qui devient un homme sans perdre de vue le petit garçon qu'il a été ?

Dès la naissance, les mères semblent avoir deviné cette construction psychique. Ce qu'elles ressentent pour leur fils est de l'ordre du sacré : leur croyance profonde est qu'elles ont le devoir intime de s'extasier devant leur tout petit garçon. Sinon, qui le fera ? Du début à la fin, les lettres à sa famille ponctuent la correspondance de Berlioz. Sévèrement blâmé par ses parents pour avoir préféré aux études médicales des études musicales, le jeune homme reste néanmoins un fils recherchant la fierté de ses parents et en particulier de sa mère. Le 23 août 1830, le tout nouveau prix de Rome écrit ainsi : « Ma chère maman, j'ai enfin le plaisir de vous annoncer que j'ai obtenu ce fameux prix. Il est à moi [...]. Je suis trop heureux si ce succès peut vous causer quelque joie, à vous chère maman, à mon excellent père et mes bonnes sœurs [...]. Eh bien Adèle, es-tu contente ? Nanci, me comprends-tu ? » La fierté d'une mère pour son fils n'a rien de pathologique, c'est une preuve d'amour à ses yeux de garçon. Il n'est donc pas interdit d'assister à un match de tennis ou une représentation théâtrale, il en sera fier. Mais il serait évidemment excessif de discuter systématiquement l'arbitrage ou de vouloir à tout prix pour son fils le rôle principal...

L'amour maternel : le chemin de la réussite

Au cours d'une soirée, un ami me demanda : « Quel sera le vainqueur de la prochaine élection présidentielle ? » Je répondis, amusé : « Mais, voyons, celui qui, selon sa journaliste biographe, est resté très attaché à sa mère, et qui, où qu'il se trouve aujourd'hui encore, ne passe pas un jour sans l'appeler ! » Je ne plaisantais qu'à moitié ; peut-être est-ce, du reste, un fait de notre époque. Combien de mères juives, dont on moque souvent l'amour envahissant, exclusif ou possessif pour leur fils chéri, sont une des clés, si ce n'est la clé, de la réussite de leur garçon ! L'histoire intime des génies que furent Einstein ou Marcel Proust, Freud ou Marx, en atteste. D'autres exemples, moins illustres mais nombreux, montrent que, lorsqu'ils acceptent d'en parler, les hommes dotés d'une bonne estime d'eux-mêmes et jouissant d'une réussite personnelle ou sociale, que ce soient des hommes politiques, des chefs d'entreprise, des syndicalistes, de grands médecins ou de grands avocats, évoquent souvent, mais avec pudeur, le rôle déterminant qu'à pu jouer l'amour que leur mère leur portait et qu'ils portaient en retour à leur mère.

Citons, à titre d'exemple et en optant pour le champ politique, le commentaire que le journaliste Thierry Desjardins fait sur les relations de notre président de la République à sa mère : « Jacques Chirac, qui parle beaucoup, n'aime pas parler de lui-même, de ses souvenirs personnels, de son enfance et il n'a jamais évoqué, même devant ses plus proches collaborateurs, l'image de sa mère. Or tous sont unanimes pour affirmer que sa mère qu'il perdra en 1972 l'a sans conteste beaucoup marqué, sans doute infiniment plus que son père... Aujourd'hui il se contente de dire : "J'avais pour ma mère une profonde tendresse. Je l'aimais beaucoup. Elle s'était beaucoup occupée de moi. J'ai été un enfant gâté, très, très gâté..." » Desjardins rappelle que lorsque la Seconde Guerre mondiale est déclenchée, en juin 1940, Jacques Chirac a 8 ans et qu'il va vivre pendant quatre ans avec sa mère[4]. De même, la journaliste Catherine Nay[5], dans la biographie qu'elle consacra à François Mitterrand, écrit : « Né à Jarnac le jeudi 26 octobre 1916 sous le signe du Scorpion ascendant Balance, le petit François, deuxième garçon et numéro cinq de la nichée Mitterrand, fils de Joseph, chef de gare à Angoulême, et d'Yvonne Lorrain, une mère fort pieuse qu'il vénéra, connut une enfance privilégiée... Or, à la différence de son mari, elle apparaît bien peu dans les écrits de François Mitterrand pour qui, pourtant, elle compta beaucoup. Cultivée, musicienne, cette femme brune aux traits un peu

lourds, expansive et dominatrice, montrait quelques tendances à l'excès. » Nous retrouvons, dans cette description,
l'amour adoré à l'égard de la mère et la discrétion que cet
amour suscite.

Serait-ce une « exception française » ? Dans l'auto-
biographie de Bill Clinton, lisons la première dédicace :
« À ma mère, qui m'a donné l'amour de la vie. » On ne
peut dire mieux. Plus loin, dans son livre, Clinton relate
une anecdote particulièrement significative. Sa mère,
enceinte de six mois de son fils et alors âgée de 23 ans,
perdit son mari dans un accident de voiture. Elle écrit
alors à une amie de lycée pour lui parler du malheur qui
vient de la frapper : « Cela m'a paru tout à fait impossible
sur le coup, mais tu vois, je suis enceinte de six mois, et
quand je pense à notre bébé, je me sens assez forte pour
aller de l'avant, j'ai le sentiment que le monde entier me
tend les bras[6]. » De fait, son fils est devenu le président de
la plus grande puissance du monde, et on peut se demander pourquoi aucun des responsables de communication
attachés à nos futurs candidats n'a jusqu'à présent souhaité, dans les meetings ou les photos officielles, associer
au candidat sa mère, en plus de son épouse !

Il ne s'agit pas ici de caricaturer l'argument grâce à des
biographies bien choisies, mais simplement d'illustrer ce à
quoi mon expérience professionnelle, et plus largement
celle de la vie, m'a convaincu : aimer fortement sa mère
parce que évidemment elle vous a fortement aimé tout au
long de votre enfance constitue une voie vers la réussite,
qui n'est pas forcément la réussite sociale. Comme le dirait
la psychanalyse, c'est une « bonne nourriture narcissique ».

La plupart des mères désirent répondre à ce challenge,
mais l'enjeu est de taille. Aujourd'hui, après une journée de

travail, après l'éventuelle culpabilité qu'une « bonne âme » vous a insufflée, quand ce n'est pas votre propre belle-mère ou votre propre mère « qui n'aurait pas fait comme vous », les nerfs lâchent. Pourtant j'ai rencontré dans ma vie professionnelle de très nombreuses mères, et quelle que soit leur situation matérielle, sociale ou culturelle, j'ai toujours été frappé de voir combien elles avaient besoin et combien elles étaient capables d'exprimer leur amour et leur crainte pour leur fils. Inversement, quand j'écoutais les garçons, j'ai toujours été frappé de constater combien les fils aiment leur mère, mais en ont peur et ont peur pour elle. Toute mère, pour un fils, est un havre d'amour et de paix (un « petit port très à l'abri »), mais aussi une source d'interdit et de peur.

Autre illustration de cette thèse : l'acte de création, qui renvoie l'artiste au temps archaïque tout en l'y arrachant. Création artistique, littéraire, philosophique, mathématique : aucune n'échappe à la règle. De Mozart à Van Gogh, de Descartes à Einstein, la thématique dominante de leur œuvre, son fantasme organisateur, son moteur inconscient se situe au niveau le plus archaïque, celui de la mère. Prenons un exemple parmi tant d'autres. Le peintre Édouard Vuillard a vécu jusqu'à l'âge de 60 ans dans le giron de sa mère, une corsetière, qui fut sa muse et qu'il représenta dans quelque cinq cents tableaux. On peut aussi évoquer Freud, qui réussit dans la recherche archéologique la plus complexe : celle qui consiste à tenter d'approcher au plus près les profondeurs de l'âme humaine. Le père de la psychanalyse écrit, quant à lui : « Quand on a été sans conteste l'enfant de prédilection de sa mère, on garde pour la vie ce sentiment conquérant, cette assurance du succès qui, en réalité, reste rarement sans l'amener[7]. » On peut

accorder à Freud qu'il était bien l'enfant privilégié d'une
mère qui l'appelait avec sûrement une immense tendresse :
« *Mein goldeiner Sigi* », c'est-à-dire « Mon Sigi en or ».

Mères d'aujourd'hui,
fils de demain

En quarante ans, le rôle social et le statut des femmes
sont venus transformer l'idée classique selon laquelle il
revenait au père d'indiquer à son fils la voie à suivre (« Tu
dois être comme ceci ») et à la mère d'occuper le terrain
sentimental et affectif (« En t'aimant, tu me rends l'amour
que j'ai pour toi »). Aujourd'hui, la « superwoman » contem-
poraine déclare généralement ne pouvoir s'accomplir totalement qu'en étant aussi une « supermaman ». La femme
d'aujourd'hui n'existe pas que par son travail, même quand
elle réussit. Certes, elle revendique l'égalité des chances
d'insertion sociale et professionnelle, mais elle revendique
aussi le droit d'être mère.

Quelle image de magazine pourrait-on donner de cette
femme ? Généralement, elle est jeune, elle n'a pas une
minute à elle, est organisée comme un agenda, c'est une
mère le matin tôt ou le soir tard ou les deux, c'est une
femme hyperactive professionnellement dans la journée,
une « femme des années 1980 », ayant, comme dit la chan-
son, « réussi l'amalgame de l'autorité et du charme ». Elle
se bat pour le droit au travail, l'égalité de salaire avec les
hommes, ce qui est la moindre des justices, mais aussi la
prise en compte de son désir maternel. Elle réclame aussi
l'égalité des charges familiales entre les mères et les pères,
ce qui n'est pas simple non plus.

Certes, les nouveaux pères partagent sans doute mieux que leurs aînés les responsabilités parentales. Ils assistent à l'accouchement, ils acceptent de changer les couches du bébé, ils accompagnent leur rejeton à la crèche ou chez la nounou, ils assistent aux réunions de parents, ils peuvent même venir chez le pédiatre et chez le « psy ». Toutefois, à ma connaissance, celle qui reste à la maternité avec son bébé, c'est la mère, même si la durée s'est fortement réduite au bénéfice d'un retour au foyer familial. Autre signe significatif : la publicité des marques de lait ou de petits pots est ciblée sur l'attente des jeunes mères. De même, l'école appellera plus volontiers la maman que le papa s'il y a un problème urgent de santé. En fait, sauf cas particuliers et j'en ai en effet rencontré, un père ne peut pas être pour un enfant, pour un petit garçon et même pour un plus grand, l'équivalent d'une mère. La majorité des jeunes mères contemporaines le savent parfaitement. Il n'est, du reste, pas rare de voir ces supermamans, après quelques années d'efforts, sauf si elles sont particulièrement bien aidées, souhaiter s'occuper plus intimement de leur enfant, mais sans que les bienfaits du métier maternel les occupent à temps plein comme par le passé. Pour le reste, ces femmes savent que leur fils, non seulement les aime, mais qu'il est le plus souvent fier d'elles, même s'il voudrait quand même bien que leur maman ait plus de temps à lui consacrer. L'avantage est que ces mères ne sont généralement ni des « mères poules » ni des mères possessives. Elles laissent à leur garçon souvent plus de responsabilités que la moyenne des mères et ne sont pas ambivalentes vis-à-vis de l'autorité. Seul un petit nombre est angoissé, culpabilise du fait de son manque de présence et essaie tant bien que mal de le compenser.

Aujourd'hui que le rôle social et le statut contemporain des mères ont évolué, elles peuvent, et c'est une belle revanche ou une grande victoire, toujours montrer à leur fils qu'elles l'aiment et occuper le terrain sentimental et affectif, mais, désormais, elles peuvent aussi lui dire : « Regarde ce que je suis, tu dois être comme ceci ! » Le succès du livre américain paru en 1995 sous le titre *Strong Mothers, Strong Sons* (sous-titre : *Raising the next generation of men*) va cn cc scns[8]. Même si d'autres facteurs (le père, la revanche sociale, le caractère, les hasards de la vie) interviennent dans la réussite d'un homme, la thèse mère forte/fils fort donne satisfaction aux deux parties concernées : aux femmes qui, devenant mères, ne veulent plus se sentir dominées et considérées comme faibles, et aux fils qui s'interrogent sur l'avenir de leur virilité.

Mais que devient le père ?

Mais quoi, me direz-vous, le tableau mère-fils serait-il donc toujours ce tableau idyllique où dominent la satisfaction et la béatitude ? L'anthropologie nous offre des cas, connus avec certitude, où la femme est représentée tenant dans ses mains le corps d'un garçon ayant servi de victime expiatoire au cours d'un sacrifice destiné à renforcer le pouvoir du chef investi. En transposant à nos organisations culturelles et sociales actuelles, on retrouve ce « sacrifice » de l'enfant dans certaines situations de remariage et le garçon sera, par exemple, sacrifié symboliquement par la mère au profit du beau-père. Néanmoins, cette situation est plus rare avec les mères de garçons, ce qui montre, une fois encore, la force de la relation mère-fils par rapport à la relation mère-fille, mais nous ramène aussi, indirectement, à la question de la place du père.

Entre une femme et son garçon, où situer le père aujourd'hui ? À mes yeux, chaque garçon a besoin d'être reconnu et confirmé par une image paternelle, qui n'est pas forcément celle du père réel. Dans le cas contraire, au moment du difficile passage pubertaire, le garçon risque de ne pas pouvoir se développer positivement, en se référant au corps du père, mais de s'appuyer négativement contre le corps de la mère et le corps féminin, ce qui le conduira à rechercher plus tard, dans les yeux des femmes, un miroir de sa féminité[9]. Même l'existence d'une relation hostile semble, à tout prendre, préférable à l'indifférence paternelle (une mère, c'est vrai, peut être ressentie comme hostile chez les filles, mais elle n'est jamais indifférente). Cette constatation épidémiologique, attestée par la forte corrélation avec certains troubles des conduites, en particulier la pathologie comportementale, conforte le point de vue de beaucoup de psychologues : un père ressenti comme hostile représente une limite pour l'enfant, alors qu'un père indifférent laisse l'adolescent face à lui-même et à un manque de contenant.

Une place réelle

Aujourd'hui, certains hommes reprochent aux « femmes fortes » de ne pas leur laisser suffisamment de place dans l'éducation de leur fils. Rappelons tout de même que cette répartition des rôles n'est pas à ce point neuve. On l'a dit, le père de Freud était un homme débonnaire, gentil, très en retrait par rapport à son épouse Amalia qui régentait la vie familiale. De même, le père des frères Marx (des Marx Brothers, pas du père du marxisme) est décrit comme un homme « naturel, doux et affectueux... prenant la vie comme elle vient », contrairement à Minnie, la mère des trois comiques, à qui on attribue d'ailleurs la réussite de ses rejetons[10]. Quelle est la cause, quelle est la conséquence ? Le père s'efface-t-il parce que sa femme prend trop de place, ou bien est-ce l'inverse ?

Sans vouloir intensifier la différence des sexes, la situation la plus souhaitable est celle où un père occupe sa place auprès de son garçon, en particulier à l'adolescence, et partage avec lui un même intérêt, une même passion, un même objectif, quelle qu'en soit la nature. Préserver un espace commun avec son ado est une chance et un atout essentiels, mais ce n'est pas toujours possible, soit parce que le terrain commun n'a pas été trouvé dans l'enfance (il est difficile de l'inventer du jour au lendemain à l'adolescence), soit parce que le jeune garçon affiche désormais une distance nette, refusant ou interrompant cette activité commune.

> La rivalité père-fils est une histoire vieille comme le monde. Un ami me racontait qu'il s'était vraiment amusé quand, pendant des vacances à la mer et à l'occasion d'un match amical organisé entre l'équipe des pères et l'équipe des garçons, il avait réussi à battre son fils. C'était la veille des 21 ans de ce dernier et il lui avait dit : « Je te bats non seulement à 20 ans, mais à 21 ! » Devant mon air interdit, il m'expliqua que son fils était né en Australie et que le décalage horaire (environ vingt-quatre heures de plus en Australie) lui donnait, ironiquement, la possibilité de renforcer la rivalité qui les opposait depuis toujours.

Ce thème de l'affrontement père-fils, inscrit dans l'histoire de l'humanité, apparaît notamment dans les multiples épreuves liées aux rites d'initiation. Par le passé, l'initiation du jeune garçon était un phénomène collectif à portée sociale et qui se déroulait sous le contrôle des Anciens ou le regard des « masques », mémoire sociale et véhicule du savoir par exemple chez les Dan de Côte-d'Ivoire. Dans cette ethnie, comme dans beaucoup d'autres mais sous des formes différentes, l'initiation est un combat perdu d'avance opposant le postulant contre un monstre qui, vainqueur, l'avale, le garde dans son ventre, puis le « vomit » sous les traits d'un nouveau-né... Cette initiation qui s'inscrit dans la matrice imaginaire du symbolisme mort/renaissance a pris de nos jours un caractère plus individualiste et plus privé puisqu'elle met seulement face à face un père et son fils. Ce face-à-face n'étant pas facile, il nécessite souvent, comme l'avaient compris les sociétés improprement appelées primitives, des « intercesseurs », rôle que joue en particulier la mère. Reste que, aujourd'hui comme hier, l'enjeu est le même pour le garçon : il s'agit d'accéder au monde des adultes, ce qui ne peut se faire sans épreuves, combats et rivalités.

Un représentant symbolique

Humphrey Bogart, qui décéda lorsque son fils avait 8 ans, aurait dit : « Que voulez-vous que je fasse de bambins, ils ne boivent pas d'alcool ! » Pour Stephen, son fils, l'héritage paternel fut lourd et encombrant et il eut des comptes à régler. Après une thérapie pour échapper à la drogue et se libérer du poids du père, le garçon commença

à écrire un roman policier où un détective à la Sam Spade
(le héros du *Faucon maltais*) est aux prises avec un *serial
killer*. Dans ce roman, la figure du père est omniprésente et
c'est aussi sans doute grâce à cette représentation paternelle mise en scène dans l'écriture que Steve a pu, à l'âge
de 47 ans, faire la paix avec son père, l'acceptant tel qu'il
était et acceptant aussi la peine et la rage de l'avoir réellement perdu, puisqu'il était toujours là symboliquement[11].

L'écoute de mes patients sur le divan m'a convaincu, s'il
en était besoin, que la fonction paternelle est nécessaire à
la subjectivation de tout un chacun. Elle m'a appris aussi
que la recherche de l'égalité homme-femme, tout à fait
légitime, ne doit pas se faire au détriment des différences,
au contraire. Pour aider un enfant à se constituer en sujet,
que ce soit un garçon ou une fille, il faut un père et une
mère ou, plus exactement, du *mothering* et du *fathering*, si
on reprend les termes du psychanalyste anglais Donald
Winnicott.

Aujourd'hui, on tend à déplorer la société sans père
qui serait récemment advenue. Cette « déploration » est
pourtant ancienne. Alexander Mitscherlich, fondateur du
Sigmund Freud Institut à Francfort, disait déjà, en 1963,
soit cinq ans avant les événements de 1968, que l'on
s'acheminait « vers une société sans père[12] ». Angoissés
par l'adage « père manquant, fils manqué[13] », les pères
contemporains ne se sont sans doute jamais autant sentis
responsables et coupables. Et cette angoisse qui est, chez
certains, source de combat, est, chez d'autres, une raison
de fuir...

Une figure mythique :
le grand-père maternel

Comme le souligne l'anthropologue Marcel Mauss, « il y a une masse de sociétés où la réincarnation de l'individu dans un nouveau-né est la base même de l'organisation familiale et religieuse. Nous en retrouvons les reliquats aujourd'hui dans le lien étroit que certaines mères établissent entre leur fils et leur propre père[14] ». De fait, la phrase : « Il me rappelle tellement mon père ! » est une confidence fréquente de la part d'une mère. La psychanalyse voit dans cette association maternelle un reliquat conscient (quand il est exprimé) ou inconscient (quand il ne l'est pas) de l'œdipe maternel. La résolution incomplète de cet œdipe favorisera cette association en raison de l'attachement toujours vivace de la mère pour son propre père. L'arrivée d'un fils représentera alors pour la mère la réalisation de son fantasme incestueux inconscient : avoir un enfant de son propre père. Comment, dans de telles circonstances, pourrait-il ne pas lui ressembler ? Il faut avoir écouté longuement les propos de certaines mères et s'être penché longuement sur les pensées intimes qu'ils traduisent pour croire à l'existence de ces fantasmes inconscients. Mais croyez-moi, sur parole, ces fantasmes existent bien réellement !

Une nouvelle figure : le beau-père

« J'essaie de discuter avec mon fils Thibault et j'ai, de l'autre côté, mon second mari qui me fait la tête, parce que je ne m'occupe pas suffisamment de lui ! » m'explique Anne, qui vient de se remarier et qui est maman de deux garçons d'un précédent mariage. Le plus jeune, Vincent, ne montre apparemment aucune difficulté. Il n'en est pas de même pour Thibault, 15 ans. Les dernières vacances ont été catastrophiques. Il faut dire qu'Anne a fait probablement une erreur : elle a choisi, pour que chacun se connaisse mieux, la formule « maison de location » plutôt que « club de vacances », où les enfants auraient trouvé des activités qui les distraient et leur conviennent. Les témoignages des familles recomposées heureuses concordent volontiers sur ce point : le premier été est souvent redoutable et toujours compliqué[15].

J'ai souvent été frappé de la façon méprisante dont mes jeunes patients parlent de leur beau-père, en l'appelant « l'autre » ! Certains ont des raisons objectives de le faire ; d'autres non, ce qui montre bien que, pour les garçons, un père reste toujours, même s'il y a des conflits, un personnage affectivement important. Lorsque leur mère tombe amoureuse d'un autre homme, comme ils ne peuvent pas se permettre de perdre l'amour maternel, ils déplacent leurs reproches et leur agressivité sur le nouveau compagnon. Et cela arrive de plus en plus souvent par les temps qui courent...

En effet, le nombre de familles recomposées a augmenté de 10 % entre 1990 et 1999. Lors du dernier recensement de 1999, on n'en comptait pas moins de 708 000. Ces familles sont par ailleurs de plus en plus jeunes. Dans 59 % des cas, la femme a moins de 40 ans et on compte quelque 26 % de femmes nées entre 1960 et 1964 qui ont rompu leur union avant l'âge de 35 ans (contre 12 % pour celles nées entre 1945 et 1950). Et la présence d'un beau-père est de plus en plus courante, puisque, dans les familles recomposées, les enfants vivent surtout avec leur mère (63 %).

Élever seule son fils

Marie, la mère de Jésus, serait-elle « l'héroïne avant l'heure de la famille monoparentale[16] », elle qui doit élever seule son fils, Joseph disparaissant très vite des Évangiles ? Si on en croit le dernier recensement, 84 % des enfants vivant dans une famille monoparentale, dont environ une moitié de garçons, cohabitent avec leur mère. En Île-de-France, en particulier, 43 % des familles monoparentales ont un seul enfant, ce qui nécessite de la part du parent concerné, qu'il soit célibataire, divorcé, séparé ou veuf, de se prémunir contre la trop grande proximité que, naturellement, la solitude entraîne.

Dans le détail, évidemment, ces chiffres renvoient à des situations très diverses : mères célibataires ; femmes divorcées qui mettent statistiquement plus de temps que les hommes à réinvestir une vie de couple (44 % des pères ont reconstitué un nouveau couple après quatre ans de séparation, contre 28 % des mères) ; pères décédés ; mères adolescentes... Les mères seules mènent des vies complexes, jonglant entre leurs rôles de salariée et de maman, et il n'est pas toujours facile pour elles de trouver du temps pour mener une vie personnelle. Mariées antérieurement, beaucoup ajoutent, aux conséquences émotionnelles du divorce, le stigmate social que constitue le fait d'être seule pour une femme.

Les situations les plus préoccupantes sont celles où le père est parti très tôt et où le petit garçon s'est retrouvé seul avec sa mère, cette dernière ayant décidé que c'en était fini des hommes. Plus ou moins consciemment, cette mère se raccroche à son fils, et cette trop forte intimité

risque de gêner le bon développement de l'identité
sexuelle. Les mères vivant seules avec leur fils ont, en effet,
tendance à lui accorder moins d'indépendance que les
autres. Cela peut être bon, mais jusqu'à un certain point.
Les garçons ont besoin de fermeté comme de liberté. Ils
peuvent aussi essayer de « marcher dans les chaussures »
du père absent et se présenter comme plus mûrs qu'ils ne
le sont en réalité. Une mère seule, surchargée par les
tâches de la vie quotidienne et la gestion de sa propre vie
affective, parfois confrontée à des problèmes matériels
importants, aura donc besoin d'être soutenue par tous
ceux à qui elle ose s'adresser ou qui souhaitent être
concernés. Il semble d'ailleurs que ce soit l'établissement
d'une relation duelle trop exclusive et trop gratifiante qui
soit parfois à l'origine de la violence que peut manifester
un jeune, plus tard, quand il n'a pas d'idée claire de ce
qu'est la sexualité et de ce que sont les limites des rôles.

Familles recomposées

Il est normal qu'un garçon, en raison de l'amour qu'il
porte profondément à sa mère, réagisse à la séparation de
ses parents, mais il le fera généralement à sa manière. Un
garçon donnera souvent l'impression que ce qui se passe
ne le concerne pas ou, s'il dit se sentir très concerné, il
l'exprimera par la violence. Dans l'un et l'autre cas, ces
manifestations prendront volontiers une forme sympto-
matique (problèmes de sommeil ou d'appétit, problèmes
scolaires, problèmes de comportement), mais seront peu
verbalisées.

On retrouve ici la difficulté pour un garçon à exprimer ses émotions. Il le fera un peu plus volontiers avec un tiers, préférant se tourner vers l'extérieur que vers sa famille la plus proche. Il est inutile, voire néfaste, de contraindre votre fils à expliquer ce qu'il ressent ; en revanche, vous devez lui expliquer ce que sera concrètement sa vie à venir : son école (en changera-t-il ou pas ?), son emploi du temps, les tâches et les activités partagées en commun entre ses deux parents. Du côté des « mères », plusieurs situations caractéristiques se présentent, que je vais exposer maintenant brièvement, mais il faut savoir qu'une variété infinie de nuances existe en fonction, notamment, du rôle qu'acceptent de jouer les différents protagonistes, et surtout des conflits, souvent financiers et non clairement résolus.

Deux « mères » valent-elles mieux qu'une ?

La première question à se poser est : devons-nous craindre *a priori* qu'une mère ne puisse exercer seule son travail de mère ? D'un point de vue général, les femmes d'aujourd'hui, inscrites dans la vie sociale et professionnelle, se sentent souvent tiraillées entre leur vie de femme et leur vie de mère. Elles peuvent se sentir coupables de confier une partie de l'éducation de leur fils à d'autres « mères ». Or, quels que soient les cultures et les milieux sociaux, il y a toujours eu des « secondes mères », que ce soient des grands-mères, des tantes, des femmes du village, des voisines, des nurses. Un prince indien, Karni Singh, qui se souvient avec nostalgie de Mrs Dent, sa nurse anglaise, écrit ainsi : « Elle était très aimable et nous aimait beaucoup. Nous-mêmes l'aimions plus que nos propres parents. Elle s'est occupée de moi dès la naissance. Par la suite elle a élevé mes enfants et mes petits-enfants. Devenue trop vieille, elle a fini par prendre sa retraite et ce fut pour moi le jour le plus triste de notre vie [17]. » Bill Clinton, dont j'ai déjà mentionné l'amour qui l'unissait à sa mère, raconte quant à lui : « Mes grands-parents et ma mère m'ont toujours fait sentir que j'étais la personne la plus importante au monde à leurs yeux. La plupart des enfants surmontent les difficultés pour peu qu'une seule personne crée un tel climat de confiance. Dans mon cas, elles étaient trois[18]. »

Il ne faut pas confondre totalement la mère et la fonction maternelle. Dès tout petit, un enfant rencontre des figures « maternelles » (une nounou, une puéricultrice, une voisine, une grand-mère, une tante ; plus tard, une enseignante, une grande sœur, une marraine, etc.). De chacune, il profite, puisant dans son instinct maternel, sans que cela pose de problème particulier. À mon sens, pouvoir compter sur au moins deux types d'attitudes maternelles ne peut être que bénéfique pour un garçon. Pour revenir encore à lui, Freud a eu au moins « deux mères » : la belle et jeune Amalia et sa Nanie qui s'occupa de lui jusqu'à ce qu'il eut 2 ans et demi. Disposer de différentes figures maternelles permet paradoxalement à un garçon d'intérioriser la différence qui existe entre sa mère et les autres femmes, sans pour autant les opposer dans leurs attitudes respectives, toutes positives en ce qui le concerne. Quand l'enfant se calme lorsqu'il a dû s'éloigner, puis se séparer de sa mère, comme à l'arrivée en crèche ou, plus tard, à l'école, c'est bien qu'il a reconnu chez une autre femme quelque chose qui le rassure. Il ne la confond pas pour autant avec sa mère ; son attitude, quand celle-ci revient le chercher, en est une démonstration magnifique, si besoin était.

L'arrivée d'un beau-parent

La place de la belle-mère ne semble ni plus ni moins facile que celle du beau-père, ce qui prouve, cette fois, qu'une mère est irremplaçable pour son garçon. La situation est moins fréquente, toutefois, puisque seuls 37 % des enfants de familles recomposées vivent avec leur père, mais le développement de la garde partagée favorise néanmoins de plus en plus cette situation. Les garçons, surtout à l'adolescence, testent, comparent et, souvent, du moins au début, rejettent. La belle-mère peut se sentir comme la marâtre de Cendrillon et s'en plaindre au père ; quant au beau-père, il demandera, lui, à sa nouvelle compagne, la mère du garçon, si son beau-fils n'est pas en train de répéter le *Hamlet* de Shakespeare.

Pour un garçon, la nouvelle union d'un de ses parents est initialement, mais plus ou moins explicitement, vécue comme une prise de contrôle hostile de la part d'un nouvel arrivant. Envers le parent naturel, l'expression de la colère reste latente, car sous-tendue par la pensée suivante : « Il (elle) a déjà abandonné celui (celle) qu'il (elle) a aimé(e) ; il (elle) pourrait aussi m'abandonner. » En apparence, un garçon se montrera plus agressif avec son nouveau beau-père qui lui prend sa mère qu'avec sa belle-mère à l'égard de laquelle il manifestera, au mieux, une apparente indifférence, au pire, un mépris à peine voilé.

Mon intention n'est pas de suggérer que tous les garçons souhaitent systématiquement contrarier leurs beaux-parents : beaucoup accueillent avec soulagement la présence d'un autre adulte plus neutre dans leur vie, mais les couples recomposés ne doivent pas s'étonner si l'enfant et l'adolescent deviennent difficiles. Ils ne doivent pas non plus, pour la même raison, prendre les éventuelles remarques désagréables pour « argent comptant ». Pendant les premiers temps, les garçons ont besoin d'être rassurés et de sentir que rien ne peut leur enlever l'amour de leur mère. Pour les aider, celles-ci doivent faire un effort particulier pour passer du temps seules avec leur fils, et poursuivre des activités ou des rites qu'ils avaient l'habitude de faire ensemble avant. De temps en temps, il leur faudra aussi pousser leur enfant à s'expliquer avec son beau-parent. Globalement, les garçons sont lents à s'acclimater à un nouveau conjoint ; les mères doivent prendre patience, faire preuve de tolérance. Essayer de précipiter les choses créerait plus de problèmes que cela n'en résoudrait. Les bons rapports mettent du temps à se construire. La confiance doit être gagnée, l'affection partagée, les différends résolus.

Être la nouvelle femme de son père

Jean, 16 ans, présente depuis deux ans des douleurs abdominales qu'aucun examen médical n'a pu expliquer. Il a subi de multiples radios et même une IRM. Son médecin soupçonne un problème psychologique, mais n'a pas réussi à faire parler ce garçon vif, intelligent et intimement persuadé qu'il a « quelque chose dans l'estomac ». La première fois que je le reçois, Jean est à l'aise, il dit simplement souhaiter ne plus souffrir, car cela l'empêche de travailler à l'école. Il est bon élève, mais il est devenu, ces derniers mois, plus distrait à cause de la douleur. Peu à peu, le garçon se confie. Il me raconte que ses parents ont divorcé un an plus tôt, mais qu'ils étaient séparés depuis deux ans, son père ayant rencontré une autre femme. Il relate tout cela sans agressivité ni colère. Il explique que, déjà tout petit, il avait vu les défauts de ses parents, en particulier de sa mère, qu'il adore mais face à laquelle il a le sentiment d'être l'adulte. Quand elle lui donne des produits vitaminés pour ses douleurs, il les prend, à peu près régulièrement, mais juste pour lui faire plaisir et la rassurer. Il ne supporte pas les conflits, ajoute-t-il aussitôt, il ne sait pas pourquoi. C'est alors qu'il se met à me parler de sa belle-mère. « Nous avons des relations professionnelles. Il n'y a rien d'affectif entre nous. »

Je comprends, bien sûr, qu'il n'apprécie pas du tout la nouvelle compagne de son père, mais si on se met à la place de cette femme, on comprend aussi combien il est parfois difficile d'exercer le métier de belle-mère, d'autant que le rejet prend chez certains garçons des formes bien plus violentes que chez Jean.

Ce rejet de la « belle-mère » est souvent plus intense que la seconde femme du père est jeune, le garçon partageant alors avec sa mère la blessure narcissique que la situation a suscitée chez elle et lui montrant ainsi l'attachement qu'il lui porte. Heureusement, cette jeune « belle-mère » peut aussi apporter une manière de vivre plus « moderne » dont bénéficie le garçon qui, au fil du temps, et sans jamais aller jusqu'à dire qu'il préfère sa « belle-mère » à sa mère, finit par considérer que c'est bien, puisque son père est heureux.

Être sa mère avec un nouvel homme

Qu'ils l'expriment ouvertement ou pas, les garçons seront généralement jaloux du nouvel arrivant. Ils réclameront de leur mère une attention accrue et sauront, s'ils ne la trouvent pas, faire parler d'eux suffisamment, y compris par des remarques déplacées et des provocations, pour susciter l'intérêt qu'ils exigent ! Le problème s'intensifie quand les fils ont eu, pendant tout le temps de la séparation d'avec leur père, des rapports très proches avec leur mère qui n'avait pas de nouvel homme dans sa vie. Ils se sentent alors évincés de leur rôle de confident ou de « petit mec ». La difficulté, pour les mères, est de leur faire accepter qu'elles partagent désormais l'autorité quotidienne avec un nouvel homme, mais qu'elles continuent à partager l'autorité avec le père pour les problèmes importants (orientation scolaire, discipline, santé). En cas de conflit, toujours possible, chacun doit immédiatement exprimer son désaccord afin qu'une discussion ait lieu, et tout cela doit être clairement explicité à l'enfant par les deux parents réunis si c'est possible.

Construire la confiance

Un garçon est particulièrement prompt à exprimer, ouvertement et parfois violemment, un sentiment de rivalité. Il comparera pour provoquer ; il suscitera l'exaspération pour tester les limites du nouvel arrivant[19]. Si vous êtes beau-parent, vous ne pouvez pas et vous ne devez pas essayer de remplacer le parent naturel ; il ne faut pas non plus que vous entriez en concurrence avec lui. Ce que vous avez à faire, c'est tenter de développer une relation bien à vous avec cet enfant. Soyez donc vous-même ! Une autre règle consiste à ne pas se forcer à être aimable ou à séduire : les garçons n'aiment pas qu'on essaie de s'attirer leurs bonnes grâces. Soyez amical et disponible, pas plus. Comme dans n'importe quelle amitié, les rapports prospèrent sur des intérêts communs. Si vous et votre beau-fils aimez le foot (et pas votre nouvelle compagne, la mère du garçon), regardez ensemble un match. Si, un soir, votre conjoint doit travailler tard, invitez votre beau-fils à dîner au restaurant. Plus vous ferez de choses ensemble, mieux vous en viendrez à vous connaître. Votre compagnon peut aider en ne vous « collant » pas à chaque fois que vous et votre beau-fils allez quelque part. Quand vous avez un désaccord, apprenez ensemble à mettre à plat les choses. Enfin et surtout, ne vous sentez pas coupable si vous n'aimez pas immédiatement votre beau-fils ; tout le monde a besoin de temps pour s'ajuster à une nouvelle famille, les adultes aussi. Le travail essentiel d'un beau-parent, aidé en cela par la mère, est d'établir un rapport affectif positif avec le garçon, et pour cela, il faut du temps ! Dans les questions de discipline et d'autorité, avancez doucement, surtout si le parent naturel a un style différent ou une conception opposée sur l'éducation. Changer les règles, juste parce qu'un nouvel adulte vient d'arriver, serait de toute façon source immédiate de conflits avec un ado.

Évidemment, tous ces problèmes, déjà complexes, se compliquent encore plus quand le nouveau ménage inclut de part et d'autre des enfants. Chaque dyade parent-enfant a sa propre histoire et son propre code, et les règles peuvent être aussi différentes que celles du football et du basket. Vous aimez regarder la télé sur votre lit avec vos enfants ou parler le soir ? Votre compagnon, lui, a décrété que la chambre à coucher des parents est un territoire privé, interdit aux enfants ! Vous aimez que vos enfants viennent dîner dès que c'est prêt ? Votre compagnon, lui, juge qu'à leur âge, il n'y a aucune raison pour qu'ils ne prennent pas le temps dont ils ont besoin avant de passer à table. Vous surveillez très attentivement le travail scolaire à la maison ? Votre compagnon, lui, ne le fait pas. Vous avez un chien ? Votre conjoint a deux chats. Etc., etc. Dans les familles recomposées, il est bon de commencer par discuter, d'abord entre adultes, pour se mettre d'accord sur des règles de base et aussi fixer les termes des concessions réciproques. Vous déciderez ainsi ensemble des règles familiales qui sont négociables et de celles qui ne le sont pas. Autre principe de base : traiter de la même façon tous les enfants, car dans les familles recomposées, ils sont encore plus sensibles aux inégalités que les autres (qui le sont déjà pas mal !).

IV

J'AI DU MAL AVEC MON FILS : COMMENT FAIRE ?

L'amour d'une mère pour son fils, aussi fort soit-il, n'est jamais sans accroc. J'ai rencontré des mamans qui avouaient à l'égard de leur garçon des sentiments marqués par de la colère ou, au minimum, ambivalents. Ces sentiments étaient alors fréquemment associés à un comportement franchement pénible du garçon, à un refus de travailler à l'école, parfois aussi à une attitude générale suscitant chez la mère un mouvement d'identifications « négatives », associant dans un même bloc « critique » le père et le fils. Plus rarement, certaines mères sont déçues quand leur fils n'est pas à la hauteur de leur propre idéal de vie. Dans le livre *Bogart, mon père*[1] que nous avons déjà cité, Stephen, le fils de l'acteur, ne règle pas seulement ses comptes avec son père, mais avec sa mère et, dans son roman policier, il fait d'ailleurs disparaître une actrice qui ressemble trait pour trait à Lauren Bacall. On prétend d'ailleurs qu'après avoir lu le manuscrit, l'actrice l'aurait félicité mais, bouleversée, lui aurait dit aussi : « Steve, tu m'as tuée ! » Le fils, heureux de l'appel de sa mère, s'en est défendu, mais a précisé qu'il n'avait pas supporté qu'elle déménage peu après la mort de son père, qu'elle l'oblige à habiter avec Frank Sinatra et, surtout, qu'elle le laisse seul pour aller tourner à Londres ou en Afrique. Toutefois, le plus intéressant, et ce qui illustre bien la force des liens unissant une mère et un fils, c'est le plaisir qu'a Stephen Bogart de savoir que sa mère a toujours été fière de lui, même s'il a pu penser qu'elle lui en voulait de ne pas être à l'image de son père.

Chapitre X

SCÈNES DE LA VIE QUOTIDIENNE

L'éducation d'un garçon est un parcours plein de joie, mais parsemé d'embûches. Chaque mère peut, à un moment ou à un autre, avoir le sentiment qu'elle n'y arrive plus. Ce n'est pas pour autant une mauvaise mère ; c'est juste que les garçons sont faits comme ils sont faits, c'est-à-dire pas comme elle ou comme elle souhaiterait qu'ils soient.

Il est opposant

Pour se sentir exister, un garçon utilise plus volontiers l'opposition que le charme. Chez certains, tout n'est qu'opposition, l'important étant de s'inscrire en faux par rapport à ce que leur mère demande. Pour cela, ils profitent souvent d'un moment où elle est seule. Le problème est de ne pas en faire une affaire personnelle. En refusant ce qui lui est proposé, le garçon opposant se donne un sentiment d'autonomie, paradoxal c'est vrai, puisqu'il suscite chez sa mère une attention anxieuse ou agressive beaucoup plus intense que s'il montrait, comme beaucoup de filles savent le faire, une apparente docilité qui permettrait, à l'un, de faire ce qu'il veut et, à l'autre, de continuer à s'estimer. « Il ne m'aime plus ? » se demande alors souvent la maman inquiète. Mais si, rassurez-vous : l'opposition n'a rien à voir avec l'amour que votre enfant vous porte. La meilleure preuve en est qu'une heure après sa « crise », il viendra se faire câliner dans vos bras. Et puis n'oubliez pas : pour qu'il y ait provocation, il faut un provocateur mais aussi un provoqué ; à vous aussi de ne pas vous laisser enfermer dans ce rôle[2].

Il y a des périodes plus sensibles à ces manifestations d'opposition. Les caprices sont fréquents, entre 2 ans et demi et 3-4 ans, à la première période d'affirmation de soi. Lorsqu'ils deviennent envahissants et répétitifs, qu'ils se compliquent de colère intense, le garçon se roulant par terre, hurlant, suffoqué par les sanglots, ces caprices peuvent faire le lit ultérieur d'une volonté de toute-puissance, d'un non-respect des limites et des interdits, d'une intolérance à la frustration. C'est pourquoi il importe, dès ce jeune âge, d'opposer à ces colères et ces caprices une attitude cohérente, ferme mais bienveillante et, surtout, identique chez les deux parents. Les caprices sont souvent un moyen pour l'enfant de mobiliser autour de lui l'attention de ses parents ou d'obtenir, en jouant sur les différences d'attitude entre son père et sa mère, ce qu'on lui interdit, la colère devenant alors le préalable de la récompense. Apprendre à un jeune enfant à contenir son agressi-

vité représente probablement une des meilleures prophy-
laxies de ce qui adviendra à l'adolescence, seconde période
d'affirmation de soi et, donc, à nouveau d'opposition.

Les mères doivent également savoir reconnaître un garçon normalement opposant qui ressemble généralement à
tous les autres garçons de son âge, d'un garçon qui mani-
festerait ce que les spécialistes appellent un « trouble oppo-
sitionnel avec provocation ». Il s'agit alors d'un enfant qui
présente un ensemble de conduites provocatrices, agressives, négatives qui persistent pendant au moins six mois et
qui se caractérisent par une association de conduites caractéristiques : colères fréquentes, opposition active fréquente
ou refus de se plier aux demandes ou aux règles des adultes
à la maison et à l'école, contestations de tout ce que les
parents proposent, agacement ou agressivité délibérée par
rapport aux autres enfants, susceptibilité excessive et tendance à systématiquement attribuer aux autres la responsabilité de ses bêtises, fréquente mauvaise humeur. L'ensemble de ces comportements associés entre eux permet de
faire la différence entre le garçon tout-venant et le garçon
souffrant probablement d'un trouble nécessitant l'avis d'un
spécialiste. J'évoquerai plus loin le problème des enfants
« tyrans en famille » (voir p. 286).

Il n'aime que jouer

Vous pourrez le priver de glaces, de télévision, de Harry
Potter ou de son ami favori, vous n'empêcherez pas votre
fils de vouloir jouer dès que l'occasion se présente. Ce n'est
pas par hasard qu'on a appelé les consoles de jeu des

Gameboy. Qu'il s'agisse, comme aujourd'hui, de jeux vidéo, et 75 % des enfants âgés de 8 à 19 ans en possèdent, ou de jeux plus classiques, jouer est fondamental pour un garçon. La passion pour le jeu de bagarre, de cache-cache, montre bien qu'un garçon, cherche par là, à intégrer les différentes questions personnelles qu'il se pose, en particulier dans sa relation à ses parents ou à ses frères et sœurs (faire peur, avoir peur, se faire peur, se séparer pour retrouver, etc.).

La bagarre, les sensations fortes, la peur sont une source inépuisable de défoulement et de plaisir chez lui. D'ailleurs, le problème n'est pas que votre fils aime jouer, car le jeu est source de plaisir, d'expression, de socialisation, de réflexion, mais qu'il ne pense qu'à jouer et délaisse ce à quoi vous aimeriez le voir s'intéresser : la lecture, ses leçons, les visites à la famille ou le musée. Cela peut, du reste, rappeler à certaines mères ce qu'elles ont plus ou moins péniblement vécu, enfants, avec leur propre frère. Comment aider votre fils alors ? Évidemment, trop c'est trop, et fixer des limites est par moments souhaitable, mais le plus efficace reste sans doute de s'intéresser à ses jeux, d'en parler avec lui pour lui permettre de s'en détacher le moment venu, quitte à le reprendre ultérieurement. Ainsi la maman pourra parler du jeu favori de son fils en connaissance de cause, avec une maîtrise époustouflante du lexique adéquat : « Dans dix minutes, on passe à table. Tu finis ton monde, tu sauvegardes et tu viens ! » Cela vous évitera de vous retrouver en tête à tête avec un fils boudeur parce qu'on lui aura fait perdre une partie décisive[3].

Il est jaloux

La jalousie des garçons entre eux ne date pas d'hier. Le premier meurtre commis dans l'Ancien Testament est celui de Caïn sur son frère Abel, et ce meurtre a pour cause la jalousie que ressent Caïn à l'égard de son frère qu'il juge favorisé par Dieu le père. De fait, la jalousie est souvent liée à l'amour que manifeste un parent envers un autre enfant de façon tout à fait injuste selon le jaloux – on se souvient d'Ésaü, le fils aîné d'Isaac et de Rébecca, qui devint jaloux de Jacob, parce que sa mère le privilégiait. Plus fréquemment, c'est l'arrivée d'un nouveau bébé qui déclenche la jalousie de l'aîné qui doit désormais partager l'amour de ses parents et, en particulier, l'amour maternel. Or, pour lui, partager signifie avoir moins : moins d'attention, moins d'amour, moins de câlins. Mais si les garçons sont jaloux, sont-ils plus jaloux que les filles ?

La mère d'Alexandre me consulte en raison d'une agressivité excessive et constante de son fils à l'égard de son frère Aurélien. Serait-ce parce qu'elle a donné à ses deux fils des noms d'empereur ? Plus sérieusement, j'interroge Alexandre qui me dit, en effet, qu'il n'aime pas son frère, que sa mère lui laisse tout faire, qu'elle lui donne toujours raison et que, en fin de compte, elle ne l'aime pas, lui. La maman dément tous les propos de son fils et raconte qu'Alexandre est gentil et même très câlin quand il est seul avec elle, mais qu'il devient odieux dès que son frère est là. Il m'apparaît rapidement qu'Aurélien est conforme à la description que m'en a faite sa mère ; c'est un charmeur comme son père et c'est de cette comparaison qu'Alexandre souffre fondamentalement. Œdipe, quand tu nous tiens !

Si la présence de frère(s) ou sœur(s) est un facteur de richesse, elle est aussi un enjeu d'amour et de partage. On sait que, dans l'enfance, la qualité du lien fraternel représente souvent un déplacement et une illustration de la nature du lien aux parents. Ainsi voit-on des rapports de complicité chaleureuse entre frères ou entre frères et sœurs, des rapports de rivalité ou encore des relations de jalousie, voire parfois des relations dominées par des affects d'agressivité ou de haine. Dans la majorité des cas, on observe une fluctuation des rapports au sein d'une même fratrie et d'un couple à l'autre de frères ou de frère et sœur. À l'adolescence, il n'est pas rare de constater que les liens dans la fratrie prennent une tournure caricaturale, par rapport à ce qui s'est constitué dans l'enfance mais aussi par rapport aux relations du moment avec les parents. Ainsi, certains rapports exprimeront une complicité accrue ; d'autres, au contraire, comme c'est le cas pour Alexandre, semblent se figer dans une rivalité permanente ou se chargent de quasi-haine ; d'autres fois encore, on assiste à un éloignement et une « rupture » presque totale avec le reste de la fratrie, comme si la séparation avec les frères et sœurs était incluse dans la séparation avec les parents.

En ce qui concerne l'aîné de la fratrie, il est fréquent de constater que, avec son (ses) jeune(s) frère(s) ou sa (ses) jeune(s) sœur(s), il adopte, en les accentuant, les attitudes parentales qu'il dénonce, quand il les subit, chez ses parents. C'est particulièrement notable chez des adolescents de familles migrantes qui se situent à la jonction de deux cultures et qui, tout en contestant le lien à leurs parents et en exigeant pour eux-mêmes les normes habituelles de la société dans laquelle ils vivent, se mettent à imposer à leurs jeunes frère(s) et sœur(s) des règles de conduite issues directement de leur culture d'origine. Là encore, ce paradoxe apparent traduit le besoin de se séparer des parents et, dans le même temps, un besoin d'identification que peut seule satisfaire l'histoire familiale.

Lorsqu'un garçon manifeste incontestablement de la jalousie, mieux vaut éviter de longues explications sur le fait qu'on l'aime toujours autant, qu'il est merveilleux, qu'il sera toujours dans le cœur de son papa et de sa maman, etc. Ces explications ne sont pas très convaincantes quand le garçon constate que, lorsque quelqu'un arrive à la maison (une voisine, une tante ou une amie), il se précipite sur le petit dernier et ne tarit pas d'éloges sur le sourire, la taille, ou l'appétit du rival. Rien ne peut changer le fait qu'un nouvel enfant menace l'ordre antérieur établi. En revanche, il est recommandé de passer un temps suffisant avec l'enfant jaloux pour jouer avec lui ou partager l'activité qu'il préfère, lui : les enfants aiment être aimés pour eux-mêmes, et pas uniformément. Il est également recommandé de l'écouter quand il se plaint ou se met en colère contre son frère ou sa sœur, de commenter ce qu'il dit mais de ne pas le juger, puis de passer à autre chose : les mots sont toujours préférables aux gestes agressifs et aux symptômes.

Il ne choisit pas de bons amis

Toutes les mères souhaitent que leur enfant ait de bons camarades qu'elles apprécient elles-mêmes. Elles craignent que leur fils se laisse entraîner par des enfants qui ne travaillent pas, qui ne pensent qu'à jouer ou, pire encore, par de mauvaises fréquentations. Leurs craintes sont souvent renforcées par le fait qu'avec leur mère, les garçons parlent beaucoup moins de leurs amis que les filles. Elles savent parallèlement que, pour être heureux et se socialiser, les garçons ont besoin d'avoir des amis et qu'elles ne doivent pas les protéger excessivement.

Faut-il donc, quand on est parent, privilégier les amis différents ou les amis qui partagent les mêmes goûts ? L'idéal est évidemment un mélange des deux. En revanche, certaines relations doivent être découragées, ce sont celles qui renforcent les points faibles de votre garçon. Je m'explique. Un garçon agressif, un garçon timide ou un garçon immature aura plutôt tendance à choisir un ami comme lui, mais il est normal que sa mère le pousse délicatement à s'associer, non pas à son contraire, mais à un « intermédiaire ».

Une recommandation pour finir sur ce sujet : sans tomber dans une espionnite suspecte, il est préférable de connaître un minimum les amis de son fils, de parler de ce qui peut être leur activité ou leur passion commune, de les inviter à la maison, d'en discuter avec les enseignants, de lier connaissance avec leurs parents, etc. Pratiquées avec tact, ces manœuvres ne relèvent pas d'une intrusion excessive.

Il ment

Au même âge, les garçons mentent plus que les filles et surtout plus maladroitement. Les mères le savent bien, elles n'en sont pas moins agacées lorsque leurs fils leur mentent effrontément.

Édith, la mère de Christophe, 12 ans, vient d'apprendre par un appel de l'école que son fils n'a pas été deux après-midi de suite en classe. Quand il rentre chez lui à 17 heures, rouge et un peu essoufflé, sa mère lui demande aussitôt : « Qu'est-ce que tu as fait cet après-midi ? » Christophe, se sentant découvert, affronte difficilement le regard de sa mère et bredouille qu'il est allé en classe comme d'habitude. Face à cette réponse, Édith doit-elle engager un combat pour faire avouer son fils, menant un interrogatoire minutieux et serré, ou bien doit-elle, comme elle en a naturellement envie, se changer en détective et, en cas d'échec, extorquer des aveux complets et se transformer en procureur ? Pas facile de répondre. La règle générale est de ne pas poser les questions auxquelles on a déjà les réponses. Les enfants ressentent une plus forte culpabilité quand ils devinent que les réponses sont connues de leurs parents et ils se défendent en mentant encore plus maladroitement, incapables de sortir du piège dans lequel ils se sont enfermés.

Un enfant ment quand la vérité représente un danger pour lui. Généralement, les deux raisons majeures sont la peur et l'espoir : la peur d'être en faute, de se sentir idiot ou malhonnête, d'avoir honte ou de paraître faible ; l'espoir que ses propres fantasmes seront plus forts que la réalité. Les mensonges révèlent ce qu'on voudrait être ou faire : être le plus fort mais aussi faire plaisir à ses parents alors qu'on sait s'être comporté en sens inverse. C'est d'ailleurs ce qui se produit aujourd'hui quand les enfants dissimulent qu'ils ont été victimes d'une agression ou d'un vol dans la rue, surtout si, au même moment, ils auraient dû être à l'école.

Sauf cas grave ou mensonges à répétition, plutôt que de s'engager dans une bataille pour obtenir la vérité, il est souvent préférable de comprendre les raisons du mensonge. Édith ne doit évidemment pas taire ce

qu'elle sait, mais, plutôt que de se laisser aller à une colère bien compré-
hensible, mieux vaut qu'elle aborde autrement la situation, par exemple
en disant : « Tu dois avoir un vrai souci à l'école pour n'avoir pas voulu
aller en classe deux fois de suite. » Devant une vérité que Christophe peut
vouloir esquiver, cette maman doit poursuivre et proposer habilement à
son garçon de l'aider, au lieu de le laisser se piéger lui-même.

Face au mensonge de son fils, une mère doit éviter
d'induire chez celui-ci des mécanismes de défense comme
le déni de la vérité ou la projection sur autrui de ses
propres responsabilités. Elle ne ferait par là que renforcer
le menteur dans son mensonge, au lieu d'apprendre à son
fils qu'il n'a pas besoin de lui mentir, car elle peut l'aider à
surmonter ses angoisses ou à faire la part entre ses fantasmes et la réalité.

Il a volé

Il y a une différence entre découvrir que son fils a volé
le crayon de son ami, un billet dans le portefeuille de son
père ou un objet de valeur chez un commerçant.
L'angoisse qui peut envahir une mère face à ces décou-
vertes doit comporter des gradients et surtout s'étayer sur
des éléments objectifs : depuis quand le fait-il ? Est-ce
une habitude ? A-t-il conscience de son geste ? Etc. À la
manière d'un psychologue, une mère doit savoir distinguer
un geste impulsif isolé, qui peut être socialement ou même
juridiquement inquiétant (par exemple le vol d'un objet de
valeur chez un commerçant), mais psychologiquement
sans gravité, d'un geste compulsif, c'est-à-dire avec un sen-

timent de contrainte interne, car il posera des problèmes psychopathologiques et donc de récidive. Comme pour le mensonge, face à un garçon qui vole, il vaut mieux comprendre le besoin et les raisons qu'il a manifestés par là, même si ce besoin et ces raisons sont irréalistes, que de le traiter immédiatement de voleur et de menteur. Il ne faut pas, là non plus, poser les questions si on en connaît les réponses, mais parler clairement de ce qu'on sait, de ce qu'on en pense et de l'attitude qu'on attend dans l'immédiat (rendre ce qui a été volé) et pour la suite (ne plus recommencer).

Il a des problèmes scolaires

Les évaluations actuelles annoncent que près de 80 % des élèves de sixième iront jusqu'au bac, contre 30 % seulement trente ans plus tôt. Comment, dans ce contexte d'intense croissance de la scolarisation, donner tort aux mères qui s'inquiètent pour leur fils quand celui-ci n'a pas les résultats escomptés ? Sans doute, la crispation sur les résultats est-elle parfois excessive, mais le plus souvent, l'intérêt de l'enfant est, quand même, de réussir sa scolarité. Dans l'idéal, chacun devrait pouvoir réussir au mieux de ses capacités et à son rythme, mais les réalités scolaire et sociale ne sont pas celles-là.

Tous les garçons ne sont pas identiques face à la scolarité : on trouve des rêveurs, des timides, des bavards, des calmes, des agités, des acharnés ; leurs besoins affectifs et physiques ne sont pas non plus les mêmes, et ils obéissent aussi à des rythmes différents. Quoi qu'il en soit, pour tous, l'entrée au CP, l'entrée en sixième, puis l'option en seconde constituent des étapes majeures. Quand, au collège puis au lycée, l'orientation commence à se dessiner, déterminant le type d'études futures et, donc, le type d'orientation professionnelle, même si des passerelles existent encore, les soucis maternels se précisent. Avec certains garçons, c'est la continuité du projet de scolarité que la mère avait pour son fils qui se dessine ; pour d'autres, c'est un vrai changement de cap qui se révèle nécessaire. Les mères peuvent vivre ce changement d'orientation comme un échec et une forte déception, ou comme un soulagement, car il les délivre du combat, parfois épuisant, qu'elles ont mené pour et contre leur fils qui ne s'investissait pas, de toute évidence, dans une scolarité classique.

Viennent ensuite les classes de première et terminale, toutes deux ponctuées par le baccalauréat dont l'importance soulève une angoisse d'autant plus vive qu'il survient à une période où le développement des potentialités affectives, relationnelles et sociales s'oppose à la nécessité de rétrécir son champ d'intérêt sur un apprentissage intellectuel intensif dans le but d'être reçu. Ce but, bien des adolescents en soulignent l'aspect en apparence dérisoire, mais obligatoire. Et leurs parents, quand ils leur répètent : « Passe ton bac d'abord ! » ont le don de les irriter prodigieusement, même si, au fond, ils savent que leurs parents ont raison.

Les garçons présentent, plus que les filles, à un moment ou à un autre, des difficultés scolaires. Ils ont beaucoup plus souvent des troubles de l'attention que les filles. Ils ont également besoin de bouger plus fréquemment. Des recherches ont montré que les enseignants, à résultat équivalent, donnaient de meilleures notes aux filles qu'aux garçons, les premières étant plus calmes et plus stables. Les filles travaillent plus par investissement de ce qu'elles font qu'au nom du plaisir qu'elles en tirent. Enfin, chacun sait que l'organisation de son travail est un appui important pour la réussite scolaire. Les filles, là aussi, savent mieux spontanément s'organiser. L'origine des problèmes est donc variable. Par ailleurs, il semble que les garçons manifestent par là, plus souvent que leurs camarades de l'autre sexe, leur rébellion contre les parents. Quand on est émotionnellement trop impliqué dans la réussite de son enfant, celui-ci risque d'exprimer inconsciemment son opposition et son besoin de se sentir fort et indépendant par rapport à son père ou sa mère, refusant l'école, comme il pouvait refuser, petit, le jambon, la viande ou le poisson qui lui était anxieusement proposé pour sa « bonne santé ».

Contrairement à l'interdiction de télévision, de jeux avant le travail ou de sortie avec des amis, les enfants ont, avec l'école, le pouvoir de mettre leurs parents en échec. La résistance pour étudier n'est pas un problème pouvant être résolu facilement. J'ai souvent entendu des mères et des pères dire qu'ils avaient tout essayé : la fermeté, la gentillesse, le défi, la menace, les récompenses, etc. Mais si une démission parentale peut accentuer le sentiment de l'enfant d'être incompris, une surveillance trop stricte du travail peut renforcer les résistances.

Trouver la bonne distance n'est souvent ni facile ni rapide. Le plus important est de repérer le cercle vicieux dans lequel l'enfant et ses parents se sont, à leur insu, laissé enfermer. L'image négative qu'un parent s'est peu à peu construite des capacités scolaires de son enfant devient rapidement une image négative de l'enfant tout entier, qui se renforce si un frère ou une sœur travaille bien. Parfois, l'aide d'un tiers ou d'une psychothérapie est nécessaire. De toute façon, à partir de l'adolescence, un rapport direct du parent au travail scolaire de l'enfant est généralement à déconseiller ; la formule faisant intervenir un tiers est de loin préférable.

Je voudrais, pour finir, évoquer une situation particulière, celle de l'absentéisme scolaire, dont l'ampleur ne fait que croître et qui concerne surtout les garçons. Si, parmi les 11-19 ans, 41,7 % n'ont jamais ou exceptionnellement été en retard ou absents, 45,9 % adoptent occasionnellement l'une ou l'autre de ces conduites, 9,7 % y ont recours fréquemment et 2,7 %, enfin, sont fréquemment et en retard et absents. Les retards et l'absentéisme doivent être pris au sérieux, non seulement par les parents, mais par les enseignants. En effet, si, au total, 13 % des jeunes ont un absentéisme régulier (retards, absences justifiées ou non), cette proportion s'élève à 28 % pour les consommateurs réguliers d'alcool, à 27 % pour les fumeurs quotidiens et à 35 % pour les utilisateurs de drogue. Quels que soient les produits pris en compte (alcool, tabac ou drogue), les consommateurs sont donc plus souvent absents que les non-consommateurs.

Compte tenu des liaisons multiples entre ces conduites, on ne peut en aucun cas conclure à une relation causale simple. Il est probable que consommer, manquer l'école et ne pas être satisfait sont les facettes d'un même malaise plus général. Sans s'alarmer, comme le font les Japonais pour lesquels 60 à 70 % des cas de consultations psychiatriques d'adolescents sont motivés par des « refus anxieux scolaires[4] », chaque mère, souvent plus sensible à l'angoisse de son fils que le père qui préfère les explications rapides

(« c'est un paresseux » ou un « manipulateur », par exemple), a le droit de vérifier si son garçon va en classe, sans verser pour autant dans un excès de stress qui produirait l'effet inverse à celui recherché et risquerait de provoquer des blocages[5].

Chapitre XI

J'AI DES PROBLÈMES !

Les garçons peuvent évidemment poser à leur mère des problèmes plus sérieux que les moments difficiles que nous venons de voir et qui sont le lot quotidien d'un garçon bien portant. Parmi les problèmes les plus fréquemment rencontrés et évoqués par les mères, il y a la violence ou la timidité, l'anxiété ou la dépression, mais aussi la drogue.

Mon fils a été agressé

Beaucoup de mères s'inquiètent pour leur garçon qui peut être agressé à l'école, sur le chemin de l'école ou n'importe quand dans la rue. Il faut, malheureusement, savoir dire à son enfant de ne pas se défendre, de se laisser voler un vêtement ou son portable et que rien n'est grave tant qu'il n'y a pas mort d'homme. Ces recommandations

précieuses butent néanmoins sur deux obstacles : le propos éducatif général (« il faut savoir se défendre dans la
vie ») et la propre fierté du garçon qui n'aime pas se sentir
dominé, surtout injustement. Or cette fierté peut se manifester lors de l'agression elle-même, au risque de dangers
physiques bien plus graves que le vol du stylo ou du blou-
son. Au moment de l'attaque, les enfants adoptent deux
grands types d'attitude : soit le combat pour montrer leur
capacité à défendre leur honneur, soit la fuite, mais la
décision de s'échapper implique toujours un conflit entre
la tendance à se protéger et l'envie de faire face.

Cette même fierté, très masculine, peut aussi conduire
un fils à se taire sur l'agression dont il a été victime. J'ai
ainsi reçu des garçons que leur mère m'amenait parce
qu'elle sentait que quelque chose n'allait pas. Le quelque
chose en question se manifestait sous forme d'insomnies,
d'hypersensibilité au bruit, d'attitudes d'évitement, d'attachement important aux parents ou encore par le fait que
l'enfant ne répondait plus aux questions qu'on lui posait.
Plusieurs fois, ces garçons m'« avouèrent » qu'ils avaient
été agressés, mais qu'ils ne voulaient pas inquiéter leur
mère. Mon travail consista justement à leur permettre de
pouvoir clairement en parler avec elle pour que leur
angoisse respective s'apaise.

De toute façon, devant un garçon qui a subi un traumatisme réel, quel qu'il soit, il est indispensable de tenir
compte de son angoisse, c'est-à-dire de l'anticipation de
l'avenir qu'expriment ses représentations envahissantes, et
de le prévenir des différents comportements et des différentes pensées qui vont pouvoir survenir dans les jours ou
les semaines suivant l'événement. Cette attitude, lorsqu'elle
est possible, correspond à un traitement préventif de ce

qu'on nomme aujourd'hui le stress post-traumatique et qui
nécessite, lui, une prise en charge psychothérapeutique
poussée (avec expression, soutien, compréhension, gestion
cognitive et comportementale de l'angoisse, relaxation
physique et mentale).

Mon fils est trop timide

Une timidité momentanée ou adaptée à une situation
impressionnante (la présence d'une personne étrangère,
une récitation à déclamer devant les autres élèves, un examen oral à réussir, la participation à une équipe sportive
déjà constituée, une audition de piano ou de violon) est
fréquente chez un enfant. La timidité peut aussi varier
selon le contexte. Une maîtresse appellera ainsi une
maman pour lui dire que son fils est trop timide en classe,
et cette maman tombera de haut, car il parle tout le temps
à la maison. De façon générale, la timidité ne doit être
prise au sérieux que si elle constitue une gêne, c'est-à-dire
lorsqu'elle envahit la vie de l'enfant dans ses différentes
activités : dans sa vie relationnelle avec ses camarades de
son âge, y compris dans les jeux, dans sa vie psychique
comme le montre l'inhibition apparente à fantasmer, dans
sa vie intellectuelle provoquant alors des difficultés scolaires. Ces trois domaines sont généralement concernés,
mais la timidité peut dominer dans l'un par rapport aux
deux autres. Voyons-les plus en détail.

C'est le plus souvent dans la vie relationnelle que la
timidité du garçon frappera le plus : l'enfant n'ose pas
s'adresser à une personne étrangère à la famille, il n'ose

pas parler dès qu'il y a plus de deux ou trois personnes, il n'ose pas s'inscrire à une activité sportive ou culturelle pourtant désirée, il n'ose pas téléphoner, il se met à l'écart en présence de ses cousins... La timidité se caractérise, en particulier pour le garçon, par la difficulté à se trouver en situation de rivalité ou de compétition comme les autres garçons de son âge. Sous-jacente à cette timidité, il est habituel de découvrir l'existence d'une vie fantasmatique inhibée dans son expression, mais très riche. La crainte fréquente de l'enfant est d'ailleurs que ses fantasmes soient découverts ou devinés par l'autre, surtout si cette autre personne est l'objet vers lequel tendent ces fantasmes. La timidité entre garçons et filles repose en grande partie sur cette crainte. Fréquemment reliée à des sentiments de culpabilité ou de honte, cette timidité persiste pendant l'adolescence, puis généralement, mais pas systémati-quement, s'atténue progressivement avec l'entrée dans la vie active, en particulier l'insertion professionnelle. Enfin, la timidité peut se manifester sous la forme d'une inhibi-tion intellectuelle qui se traduit par des échecs dans le tra-vail scolaire ou universitaire ; elle entraîne parfois un pro-blème dans la poursuite des études, débouchant sur une incapacité, chez l'enfant, à rester dans la même classe, dans la même école ou, pour l'adolescent, à poursuivre l'orientation qu'avec ses parents, il avait préalablement choisie ou investie.

En cas de difficultés à l'école, une mère doit faire la distinction entre de véritables difficultés à se concentrer, mémoriser ou apprendre et une inhibition intellectuelle consécutive à une excessive timidité, source potentielle d'un désinvestissement scolaire ultérieur. L'inhibition, dans sa forme la plus pure, s'accompagne d'un désir persistant de poursuivre des études, d'effectuer le travail scolaire, mais l'enfant a trop peur d'échouer ou s'en estime incapable, ce qui peut le conduire à un travail acharné, sans résultat. Dans la majorité des cas, ces inhibitions intellectuelles avec échec relatif dans la scolarité s'observent chez des enfants ou des adolescents ayant des capacités intellectuelles élevées, voire supérieures à la moyenne, et l'échec n'en est que plus paradoxal. Quand elles persistent, elles peuvent toutefois provoquer des comportements de rejet ou d'évitement face à tout investissement intellectuel. L'enfant, et surtout l'adolescent, affiche soudain un désintérêt ou un mépris apparent pour ses études, cette conduite ayant pour fonction essentielle de masquer l'inhibition sous-jacente. La mère, mais évidemment aussi le père, les enseignants, les psychologues ou les médecins devront alors veiller à ne pas se laisser prendre au piège des premières affirmations de l'enfant, car cela risquerait de l'enfermer dans des conduites d'échec répétitives. Ici nous retrouvons les difficultés du garçon à exprimer ce qu'il ressent comparativement à la fille, même si les caractères de chacun viennent nuancer cette différence. Il peut être utile, pour éviter ce piège, de bien savoir que l'inhibition intellectuelle s'accompagne fréquemment de traits névrotiques discrets, mais précis : conduite de type obsessionnel, marquée par le perfectionnisme et la méticulosité dans ce qui entoure le travail scolaire (temps excessif passé à recopier des leçons, à souligner, à présenter le travail, sentiment excessif d'insatisfaction, etc.) ou, plus encore, massivité du refoulement signalée par l'impression de blanc ou de vide dans la tête, surtout lors des examens (la fameuse angoisse de la page blanche).

Un garçon présentant une timidité excessive doit être compris et aidé psychologiquement. Selon le souhait de l'enfant et de sa mère, selon la capacité de l'enfant à accepter l'aide proposée, on optera pour l'une ou l'autre de ces deux approches : soit ce qu'on appelle aujourd'hui une thérapie cognitivo-comportementale individuelle ou de groupe, associant souvent des techniques d'affirmation de soi et une relaxation, soit une psychothérapie à orientation psychanalytique cherchant à comprendre les raisons profondes de l'excessive timidité. Des conseils peuvent aussi être donnés à la mère ou aux deux parents pour leur permettre de favoriser dans la vie quotidienne de leur fils des comportements d'affirmation de soi.

Mon fils
n'a pas confiance en lui

Souvent associé au problème précédent, la timidité, ou au problème suivant, l'anxiété excessive, le manque de confiance en soi peut devenir envahissant. Il est fréquemment signalé par l'enseignant qui constate que le garçon hésite à répondre aux questions dont il connaît pourtant la réponse ou que, dans la cour, il refuse le jeu de ballon en expliquant qu'il fera perdre les autres. Une mère n'est généralement pas étonnée de ce que lui dit l'enseignant ; elle a elle-même constaté ce manque de confiance chez son fils par rapport à ses frères ou sœurs, par rapport aux autres enfants de son âge ou bien quand elle lui demande de faire une course, de donner son avis à table ou encore quand il lui parle de son travail scolaire qu'il craint toujours de mal faire. Comment aider un garçon à prendre confiance en lui ? Il faut d'abord ne pas le harceler pour le pousser à faire ce qu'il n'ose pas faire. « Va jouer avec les garçons qui ont un ballon » peut être un bon conseil si votre fils hésite mais en a incontestablement envie, mais peut le bloquer s'il ne veut pas, refuse par manque de confiance en lui. Il ne faut pas non plus le mettre à l'épreuve dans des situations pour lesquelles il n'a pas encore la maturité nécessaire. On ne demande pas à un enfant de monter à vélo dès qu'il a appris à marcher, c'est évident. Pour les autres activités, et en particulier les activités scolaires, c'est pareil. Si on a affaire à un garçon qui a un manque important de confiance en lui à l'école, il faut le valoriser sur d'autres terrains (le sport, le dessin, la musique, l'ordinateur, les amis qu'il aime) en le félicitant pour ce qu'il réussit et surtout en l'en rendant acteur. Lorsqu'il vous apporte une bonne note de l'école, il est préférable de lui dire : « Tu dois être content et sacrément fier de toi », plutôt que : « Je suis contente, je suis fière de toi. » On peut, enfin, réfléchir avec lui pour savoir comment il fait pour être bon dans tel ou tel domaine ou pour avoir, cette fois-ci, réussi son interrogation et l'amener à appliquer plus largement la méthode qui marche[1].

Mon fils est trop anxieux

Beaucoup de travaux ont porté sur l'anxiété enfantine, surtout à partir de l'âge scolaire. Voici l'un d'entre eux. On présente une liste bien choisie de trente-sept questions auxquelles les enfants répondent par oui ou par non et qui permettent d'évaluer le niveau et la nature de l'anxiété entre 6 et 19 ans, en fonction de trois types de facteurs : les manifestations physiologiques d'anxiété (insomnie, cœur qui bat, boule dans la gorge, etc.), l'inquiétude et l'hyper-sensibilité ; enfin, la peur et l'inattention. On constate alors que les garçons obtiennent des scores inférieurs aux filles et que cet écart s'accroît avec l'âge, notamment à partir de l'adolescence. Mais ces échelles utilisées mesurent-elles vraiment la réalité de l'état anxieux ? Les filles n'obtiennent-elles pas des résultats plus élevés parce qu'elles recon-naissent mieux leurs émotions, alors que les garçons admettent moins facilement leurs faiblesses ? Un test sur l'anxiété des enfants qui ne repose pas sur une auto-évaluation permet de lever partiellement cette incertitude : les résultats obtenus laissent apparaître un même écart (mais moins prononcé, il est vrai).

Autre étude aux résultats significatifs, celle menée par deux chercheurs qui ont interrogé les mères de quatre cent quatre-vingt-deux enfants âgés de 6 à 12 ans, parmi lesquels 49 % de garçons et 51 % de filles. Sur les 43 % d'enfants présentant « de fréquentes peurs ou inquié-tudes », près des deux tiers étaient des filles. Les mères n'étaient que très légèrement en dessous de la vérité, puisque, à partir de leurs réponses, on arrivait au chiffre de 41 %[2]. S'il est donc exact que les filles expriment verba-lement et physiquement plus facilement leur inquiétude, les échelles d'évaluation et les tests psychologiques montrent incontestablement chez elles un potentiel d'anxiété supérieur, potentiel qui s'accentue à partir de l'adolescence. Les mamans des garçons devraient donc être rassurées : l'humeur anxieuse se rencontrerait plus fré-quemment chez les filles que chez les garçons.

Cependant, comme d'autres études insistent sur le fait que les garçons présentent plus fréquemment un caractère hyperthymique, c'est-à-dire un optimisme excessif, une vantardise, de l'extraversion, de l'exubérance et une tendance trop fréquente à l'irritabilité, on en vient, en fait, à se demander si les fils sont véritablement moins anxieux que les filles ou si leur caractère ne les amène pas à exprimer différemment cette angoisse. Beaucoup de mères disent d'ailleurs de leur fils que c'est un anxieux, qu'il est « peureux », qu'il fait le « petit dur », mais que c'est un « trouillard ». De fait, et d'un point de vue plus général, les garçons n'expriment pas leur angoisse comme les filles. Ces dernières la formulent clairement par des mots, alors que les garçons privilégient les comportements d'agressivité, d'agitation ou de retrait.

Mais puisque les mères devinent le plus souvent quand leur fils est angoissé, que doivent-elles faire ? D'abord se renseigner sur ce qu'est l'angoisse et sur ses causes. L'anxiété est un phénomène émotionnel fréquent et complexe. Elle est considérée comme le signe d'un fonctionnement normal et une réponse nécessaire aux événements stressants de la vie, mais elle peut, à tous les âges de la vie, être la conséquence d'une déception, d'une rencontre, d'un accident ou d'une maladie somatique ou la conséquence, et non la cause, d'un trouble psychologique. Ainsi, chez des adolescents abusant d'alcool ou de drogue, l'anxiété n'est pas forcément un facteur causal, mais une conséquence de leur toxicomanie. C'est après une évaluation attentive éliminant une réaction normale à une circonstance stressante, une maladie physique ou la survenue d'événements vitaux majeurs, qu'on pourra dire si l'anxiété est au cœur de la souffrance et la caractéristique d'un trouble qu'il faut apaiser ou soigner.

Il faut également être bien conscient de ce que l'expression de l'anxiété varie avec l'âge, comme la nature des événements stressants d'ailleurs : besoins fondamentaux comme la faim ou le sommeil chez le bébé, peur de l'inconnu vers 1 an, angoisse de séparation entre 2 et 3 ans, puis, au fil du temps, scolarité, rencontre amoureuse, première relation sexuelle, travail. Pour les angoisses plus profondes, comme l'angoisse pathologique de séparation, une étude intéressante a comparé trois groupes : un groupe de jeunes enfants âgés de 5 à 8 ans, un groupe d'enfants d'âge moyen compris entre 9 et 12 ans et un groupe d'adolescents âgés de 13 à 16 ans[3]. Cette étude a montré que les symptômes de ce qui est désigné sous le terme d'« angoisse de séparation pathologique » variaient selon l'âge. Et la réponse est oui. Les plaintes physiques manifestes le jour d'école étaient systématiques chez les adolescents (100 %), alors que seulement deux tiers des enfants d'âge moyen et un tiers des jeunes enfants s'en plaignaient. Les symptômes les plus fréquents chez les adolescents étaient le dégoût, le refus d'aller à l'école et les plaintes corporelles. Les symptômes les plus fréquents chez les enfants du groupe intermédiaire étaient la détresse lors d'une situation de séparation et le retrait, l'apathie, la tristesse ou la faible capacité de concentration quand ils étaient séparés. Chez les plus jeunes, c'étaient la peur qu'il arrive quelque chose à la figure d'attachement, généralement la mère, et la peur qu'un événement grave sépare l'enfant de sa figure d'attachement. Cette étude, complétée par d'autres, montre en outre que le trouble « angoisse de séparation » diminue à mesure que l'on s'approche de l'adolescence, alors que le trouble « phobie scolaire » augmente. Enfin, l'hypothèse selon laquelle l'angoisse excessive de séparation dans l'enfance serait un important facteur de prédisposition aux troubles de l'adolescent et de l'adulte est maintenant bien connue. La prévalence du trouble « angoisse de séparation » durant l'enfance est retrouvée en particulier chez les adolescents garçons ou jeunes adultes boulimiques, toxicomanes dépressifs et anxieux[4].

Les mamans doivent aussi savoir faire la différence chez leur fils entre ce que les spécialistes appellent la peur, l'angoisse, l'effroi et la menace. Lorsque l'enfant voit, la nuit dans sa chambre, à travers ses volets, l'enseigne lumineuse du magasin d'en face, il peut avoir peur : la peur est liée à l'objet de la peur. Lorsque ce même enfant doit tout simplement aller se coucher et qu'il est angoissé, son angoisse est une peur sans objet ou la peur de sa peur. Lorsque toujours ce même enfant présente une terreur nocturne, c'est qu'il est débordé, envahi par une réaction cataclysmique ; on parle alors d'effroi. Comme l'écrit Freud, « effroi, peur, angoisse sont des termes qu'on a tort d'utiliser comme synonymes ; leur rapport au danger permet bien de les différencier. Le terme d'angoisse désigne un état caractérisé par l'attente du danger et la préparation à celui-ci, même s'il est inconnu ; le terme de peur suppose un objet défini dont on a peur ; quant au terme d'effroi, il désigne l'état qui survient quand on tombe dans une situation dangereuse sans y être préparé ». Mais quand cet enfant se sent menacé parce qu'il y avait une ombre dans sa chambre, ressent-il de l'effroi, de la peur, de l'angoisse, ou doit-on juste dire qu'il se sent d'abord et avant tout menacé ? Il n'y a ni débordement (donc pas d'effroi), ni relation logique, proportionnelle, adaptée au danger (donc pas de peur), ni indétermination totale du danger (donc pas d'angoisse). Reste donc la menace, terme qui exprime la question de l'angoisse dans son rapport à la réalité et au fantasme. L'ombre, pour cet enfant, ne pose-t-elle pas le problème de ce rapport ? Cette menace reste présente tant que ce rapport entre la réalité et le fantasme demeure flou, ambigu, en quête de sens.

Quel que soit le type d'angoisse, son âge de survenue ou son intensité, chaque mère doit savoir que son fils, lorsqu'il est anxieux, cherche une explication, un sens à ce qu'il ne contrôle pas et que c'est en lui expliquant ce qui se passe qu'elle le rassurera le plus. Si elle n'y arrive pas, alors elle pourra consulter pour aider son garçon du mieux possible et sans penser qu'elle est responsable de l'angoisse de celui-ci. C'est un point important : un garçon peut être trop anxieux sans que ce soit la faute de la mère. N'oublions jamais qu'il a deux parents et aussi qu'il construit peu à peu sa propre émotivité en relation avec son éducation mais aussi avec les événements de la vie.

Pendant longtemps, on s'est contenté de dire qu'une mère trop anxieuse rendait nécessairement son fils anxieux. Je me souviens d'une maman qui, un jour, dans mon cabinet, s'écria : « Mon petit garçon, je l'aime tellement que je ne supporte pas de le voir malade ! » Cette mère ne supportait son fils que bien portant. À la moindre nausée, au moindre mal de tête, le médecin était appelé de toute urgence. Et, de fait, le fils en était devenu hypocondriaque... Néanmoins, on sait aujourd'hui qu'il est impossible de séparer les acquis génétiques des acquis éducatifs et culturels. Pendant au moins deux décennies les parents, et en particulier les mères, ont été désignés comme responsables des problèmes psychologiques graves de leur enfant. On a parlé de mères « froides » ou de mères « surprotectrices » pour expliquer la maladie mentale la plus étrange qui existe et dont personne encore aujourd'hui ne connaît véritablement les causes : la schizophrénie. Heureusement, plus récemment, de nombreux travaux ont suggéré que les attitudes parentales n'étaient que l'un des facteurs en jeu et, parfois même, un facteur très secondaire dans les problèmes graves concernant le développement des enfants. Un psychologue américain[5] a établi une analogie entre l'interaction génome-environnement et la nage en piscine. La fragilité cardiaque d'un nageur peut se comparer à la vulnérabilité génétique et la profondeur de la piscine aux raisons éducatives. Moins la fragilité cardiaque est grande et moins la piscine est profonde, moins le nageur risque de se noyer. Le risque de couler dépend de l'interaction des deux facteurs. Pour la transmission de l'angoisse maternelle aux enfants, c'est pareil ! Une fois de plus, les mécanismes de plasticité neuronale permettent au cerveau, tout au long de l'existence, de rester ouvert au monde, à l'éducation, au changement de l'environnement et inversement[6].

Mon fils est déprimé

Les filles et les garçons n'expriment pas leur dépression de la même façon. Les premières manifestent ce malaise par des préoccupations concernant l'image de leur corps, leur poids, des douleurs plus ou moins diffuses qui n'inquiètent pas au premier abord, mais dont l'intensité, la persistance et surtout l'appel qui les sous-tend doivent être pris en compte. Les seconds manifestent davantage leur dépression sous une forme agressive, déchargeant la tension et la souffrance qu'ils ressentent en relation avec l'image négative qu'ils ont d'eux-mêmes par une apparente insolence ou une réaction violente qui n'en est que l'expression manifeste.

Depuis vingt ans, le nombre d'enfants et d'adolescents présentant des épisodes dépressifs s'est fortement accru, au point qu'on parle maintenant de véritable problème de santé publique. Si l'on se réfère aux enquêtes épidémiologiques récentes, en France, 7,5 % des garçons en population générale se déclarent assez souvent ou très souvent déprimés[7]. On a volontiers dit que l'humeur dépressive n'était pas stable avant l'âge adulte. Une étude américaine[8] montre au contraire que l'humeur dépressive, dans un groupe d'adolescents tout-venant, est beaucoup plus stable qu'on ne le croit généralement : sur six mois, 67,2 % de la population étudiée n'avaient jamais été déprimés, 32,8 % avaient été déprimés un moment et 11,2 % étaient restés déprimés à zéro, trois et six mois.

Après avoir considéré que la dépression était un état normal de l'enfance, la majorité des médecins et des psychologues distinguent aujourd'hui les sentiments d'ennui, de lassitude, de mal-être, d'irritabilité, transitoires et facilement réversibles, appartenant en effet au développement normal de l'enfance, d'une dépression proprement dite. Celle-ci peut prendre des formes d'apparence trompeuse, mais, le plus souvent, chez l'enfant ou l'adolescent, les manifestations correspondent à ce qu'on appelle à juste titre une menace dépressive. Cette menace se manifeste par l'apparition plus ou moins brutale d'une appréhension ou même d'une terreur intense de se sentir envahi par la perte d'estime de soi, l'échec personnel, la tristesse, le cafard et les idées suicidaires. La perturbation prédominante de ce trouble est une anxiété dépressive aiguë ou subaiguë dont la caractéristique essentielle est la crainte non pas d'un objet, d'une situation ou d'une action spécifique, mais de se sentir envahi par une tristesse dont certains éléments peuvent, du reste, surgir par moments mais ne persistent jamais plus de quelques heures. Les signes le plus souvent ressentis sont un mal-être difficilement définissable et un sentiment de tension psychique et physique, accompagnés de façon variée de troubles neurovégétatifs, habituellement ressentis dans les angoisses aiguës (dyspnées, palpitations, douleurs ou gênes thoraciques ou abdominales, sensations d'étouffement, impressions d'évanouissement, etc.). Sont fréquemment associées d'autres manifestations caractéristiques, comme l'irritabilité, les insomnies d'endormissement, les cauchemars nocturnes et les moments de cafard. Enfin, le sujet déclare qu'il a peur de se sentir désespéré sans raison et d'être incapable de réussir ce qu'il entreprend. Cette appréhension se manifeste sous la forme d'un sentiment de menace venant de l'intérieur et survenant préférentiellement le matin au réveil mais aussi plusieurs fois dans la journée, pour déboucher sur des crises de colère inexpliquées ou un sentiment de cafard momentané. En revanche, il n'y a pas le sentiment d'indignité, d'autoaccusation, d'abandon ni de culpabilité excessive ou inappropriée.

On sait aujourd'hui que la sévérité et la durée des troubles de l'humeur chez l'enfant et sans doute chez l'adolescent augmentent en cas de rechute. L'existence dans le temps de moments d'humeurs totalement opposées (tristesse, retrait *vs* euphorie excessive, excitation) donne une valeur indicative sur le risque de difficultés ultérieures qu'on appelle aujourd'hui « trouble bipolaire » et qu'il faut savoir diagnostiquer précocement. De plus, un certain nombre d'observations laissent penser que les dépressions d'installation précoce sont plus graves et pourraient avoir des origines distinctes des dépressions d'installation à l'âge adulte. Il existe, par ailleurs, un intérêt de plus en plus important concernant la survenue d'un état dépressif pendant l'adolescence, en particulier pour tenter de contrer l'augmentation des suicides à cette période de la vie. Entre un tiers et la moitié des suicides et des tentatives de suicide médicalement graves peuvent être attribués à des troubles dépressifs et 70 % des adolescents ayant présenté une véritable dépression ont dans les trois années qui ont suivi effectué une tentative de suicide[9]. Il faut aussi noter que la prévalence des idées suicidaires (fréquentes ou très fréquentes), et non plus des tentatives elles-mêmes, est significativement corrélée à l'intensité de la problématique dépressive, même si une majorité d'adolescents déprimés ne tentent pas de se suicider. Des facteurs comme une histoire familiale où plusieurs membres se sont suicidés, des abus sexuels dans l'enfance, une qualité défectueuse des attachements aux pairs, des difficultés scolaires ou encore certains traits de personnalité tels que le « névrotisme », la recherche de nouveauté ou une mauvaise estime de soi constituent des indices de vulnérabilité supplémentaires[10]. Mais attention : vulnérabilité ne veut dire ni destinée ni cause univoque.

Les mères ont raison de prendre au sérieux leurs inquiétudes lorsqu'elles sentent leur fils déprimé, même si tous les degrés existent entre une dépression sévère et un moment dépressif léger et réactionnel à un échec scolaire, à la « trahison » d'un ami ou à une rupture sentimentale. Le diagnostic est souvent moins facile qu'on ne le croit, en particulier chez le garçon qui, on l'a vu, exprimera volontiers son mal-être par des troubles du comportement. Dans les faits, voici les trois situations qui doivent être bien distinguées :

- *Cas le plus rare* : les signes caractéristiques de la dépression sont là : tristesse et surtout diminution récente et marquée de l'intérêt ou du plaisir dans toutes ou presque toutes les activités (anhédonie). Évidemment, on peut également observer une diminution de l'appétit et du temps de sommeil, une fatigue et une perte d'énergie, mais ces signes n'occupent pas le devant de la scène, car ils sont masqués par des comportements plus et mieux repérés.

- *Autre cas* : par ses comportements, le garçon lutte activement contre l'apparition trop douloureuse de ses sentiments dépressifs et ces derniers ne sont donc pas repérables immédiatement. Ce sont très souvent les mères qui « sentent » que leur fils ne va pas bien. Celui-ci pourra confirmer par la suite ses sentiments dépressifs grâce à la confiance qu'elle aura essayé d'instaurer avec lui, si mal dans sa peau et si honteux de l'être.

- *Dernier cas de figure* : même mineure, une dépression s'associe ou ouvre la voie à d'autres problèmes plus visibles : troubles anxieux, troubles du comportement alimentaire, consommation abusive d'alcool ou de drogue, troubles graves du sommeil, troubles du comportement.

Comment comprendre et aider son fils quand il est envahi par une douleur dépressive ? Cette douleur, en particulier chez le garçon, renvoie à une baisse de l'estime de soi et au sentiment d'infériorité ou de honte qui peut toucher un domaine particulier, scolaire ou physique, ou affecter l'ensemble de la personnalité. À ce sentiment s'associent le plus souvent le sentiment de ne pas être aimé ou apprécié et un désintérêt apparent pour le monde qui, paradoxalement, pourra se manifester par une recherche dans les activités extérieures de la preuve de sa propre valeur, l'unique conflit résidant dans l'impossibilité, pour le garçon, de réaliser les exigences idéales qu'il se donne. Ces exigences idéales prennent souvent une forme mégalomaniaque, semblant venir combler une menace de perte d'identité. De la confrontation à ce modèle de perfection que constitue l'« idéal du Moi », si ce n'est le « Moi idéal », le Moi de l'enfant va développer des sentiments d'infériorité caractéristiques d'une dépression. Cela ne veut pas dire que des conflits, source de culpabilité, ne peuvent pas être présents, mais ils seront alors au second plan.

L'origine des dépressions de l'adolescence n'est pas univoque. Si des vulnérabilités neurobiologiques sont incontestables, une cause fréquemment observée est constituée par les situations familiales (deuil, parent déprimé, conflits familiaux, divorce) ou les situations existentielles (déception sentimentale, échec scolaire, maladie physique). Autre facteur incontestable : la pression culturelle et sociale actuelle, qui pousse certains jeunes à voir le monde comme décevant, contraignant ou inquiétant par rapport à leurs espoirs et leurs idéaux. Enfin, sans culpabiliser qui que ce soit, on ne peut nier que l'environnement familial joue un rôle déclenchant lorsque cette réaction est liée à un désaccord conjugal, à un divorce, à l'alcoolisme, à la mort d'un parent ou, à l'inverse, à un contrôle parental excessif entravant le souhait de séparation de l'adolescent qui n'a pas d'autre choix que cette réaction brutale. Cependant, le milieu familial peut jouer également un rôle protecteur lorsque cette réaction est liée à l'échec d'une histoire amoureuse, à une rupture sentimentale, à des difficultés scolaires ou à une relation conflictuelle avec un autre ou d'autres amis.

L'approche de ces manifestations dépressives dépend de leur sévérité. En cas de manifestations légères, le traitement de choix est le soutien affectif naturel que tout parent, et en particulier toute mère, manifeste spontanément. Si l'évolution ne permet pas d'atténuer ou de dépasser ce moment difficile, l'appel à un spécialiste est souhaitable. En cas de dépression sévère, le traitement est, pour une grande part, le même que celui de l'état dépressif chez l'adulte. Il associe une démarche psychothérapique et, si besoin, un traitement antidépresseur à partir de l'adolescence, avec, pour le professionnel qui ne doit pas se poser en « meilleur parent », le respect des trois particularités suivantes :

1. *L'importance de l'alliance thérapeutique* qui s'établit généralement (ou pas) lors de la première rencontre qui, à cet âge, est capitale.

2. *Même réussie, cette première rencontre doit rapidement être suivie de consultations rapprochées* qui rassureront l'adolescent sur l'intérêt qu'on lui porte et lui permettront d'accepter la psychothérapie ou, si besoin, le médicament prescrit et sa surveillance. Le choix de ce dernier devra en grande partie dépendre de ses capacités à présenter le minimum d'effets secondaires.

3. *L'importance du soutien de la famille* qui souffre souvent autant que l'enfant ou l'adolescent lui-même.

Mon fils se drogue

Toute mère peut craindre aujourd'hui que, devenant adolescent, son fils soit sollicité et entraîné à consommer des produits illicites, à commencer par le haschisch. Depuis vingt ans, la consommation de tabac et surtout d'alcool semble avoir diminué chez les jeunes, avec des fluctuations d'une enquête à l'autre. En revanche, les garçons consomment nettement plus de vin, de bière et surtout d'alcool fort que les filles au même âge, ces consommations augmentant de toute façon au cours de l'adolescence, avec les risques d'accidents de la circulation que ces consommations peuvent entraîner (tableaux IV et V). Pour ce qui est de ce qu'on appelle couramment les « drogues », on constate là aussi que les garçons en consomment nettement plus que les filles, que la consommation de haschisch a fortement augmenté et qu'elle vient largement en tête, devant les produits inhalés, les amphétamines, l'ecstasy ou les autres hallucinogènes et, plus encore, la cocaïne et l'héroïne (tableaux VI, VII et VIII). Il faut savoir que ceux qui ont expérimenté une drogue illicite consomment souvent aussi de l'alcool et du tabac de façon régulière ou quotidienne.

Cependant, il ne faut pas assimiler tout garçon utilisateur occasionnel de drogue à un toxicomane. En effet, les études longitudinales montrent que dans ces tranches d'âge, près de la moitié des consommateurs arrêtent leur consommation dans les deux années qui suivent. La consommation n'est pas un processus continu ; le fait de commencer à prendre une drogue n'est pas nécessairement le début d'une escalade vers la toxicomanie. Seul un petit nombre de consommateurs deviendront des toxicomanes, mais il est vrai que la plupart des toxicomanies ont commencé à l'adolescence et à un âge de plus en plus jeune. Il importe donc devant une consommation de produit chez un garçon de distinguer le type, la fonction et le retentissement de la consommation sur la vie sociale et affective du sujet.

Il est donc nécessaire, parmi les adolescents qui utilisent des drogues illicites (cannabis, haschisch, médicament psychotrope utilisé à des fins toxicomaniaques...), de distinguer, d'un côté, les utilisateurs occasionnels et, de l'autre, les utilisateurs plus réguliers dont quelques-uns risquent de devenir peu à peu de vrais toxicomanes. Les premiers utilisent la drogue par curiosité ou comme moyen d'évasion, une fois ou épisodiquement ; ils continuent leur vie scolaire ou professionnelle ; ils ne rompent pas avec le milieu familial et conservent des activités diverses et des relations avec les jeunes de leur âge tout à fait normales. Contrairement aux précédents, les vrais toxicomanes ont un tout autre profil. Ils centrent toute leur vie sur la recherche du produit toxique, de son utilisation, de ses effets, avec toutes les conséquences personnelles et sociales que cela implique. Pour eux, la drogue est devenue une fin en soi, dont ils ne peuvent plus se passer et qui relègue au second plan, quand elle ne les annule pas, tous les autres intérêts et plaisirs de la vie.

Chacun, parent ou professionnel, doit tenter de clarifier les différents types de consommation de produit auxquels le jeune s'adonne. Pour ma part, je continue à différencier trois modes d'utilisation pour aider les parents à parler avec leur fils et à faire la part entre ce que celui-ci leur dit et l'angoisse qu'il suscite chez eux (tableau IX).

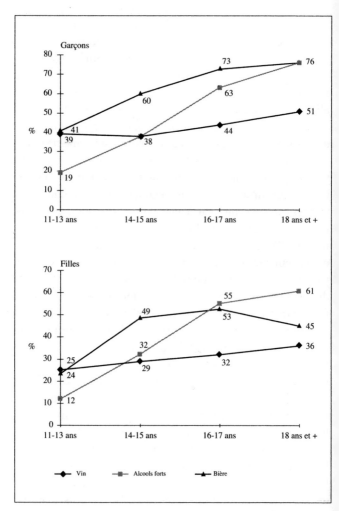

Tableaux IV et V : Consommation de vin, alcools forts et bière en %

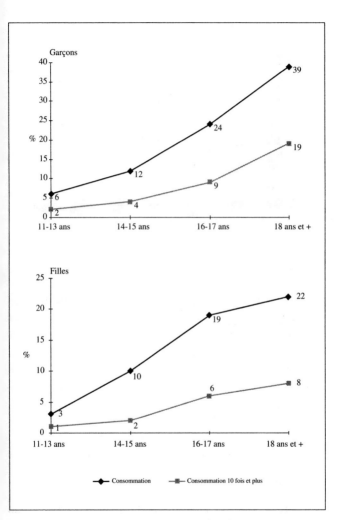

Tableaux VI et VII : Consommation de « drogue » en %

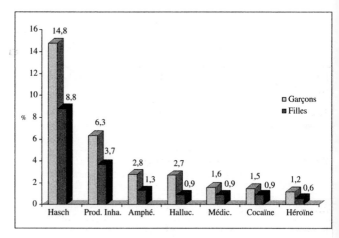

Tableau VIII : Produits consommés

– *La consommation festive et récréative*, dans laquelle c'est
la participation à la dynamique du groupe et l'effet
euphorisant du produit qui sont recherchés. Elle se fait
en soirée, jamais seul, le plus souvent en fin de semaine,
pendant les vacances ou les fêtes. Signalons la mode des
« rave parties » au cours desquelles l'utilisation d'ecstasy
est fréquente. La scolarité se maintient, le garçon con-
servant non seulement son activité scolaire, mais aussi
ses autres investissements sportifs, culturels ou sociaux.
Toutefois, un fléchissement scolaire peut commencer à
s'observer, car toutes les drogues, même le haschisch,
ont des effets délétères sur la concentration et la
mémoire. Dans ce type de consommation, on ne trouve
pas souvent de facteurs de risque familiaux et les facteurs de risque individuels sont rares.

	Consommation		
	Festive	Auto-thérapeutique	Toxicomaniaque
Effet recherché	Euphorisant	Anxiolytique	Anesthésiant
Mode social de consommation	En groupe	Solitaire +++ (en groupe)	Solitaire ou en groupe de drogués
Scolarité	Cursus scolaire habituel (fléchissement)	Décrochage scolaire Redoublement	Exclusion scolaire Rupture scolaire
Activités sociales	Conservées	Limitées	Marginalisation
Facteurs de risque familiaux	Absents	Absents	Présents
Facteurs de risque individuels	Absents	Présents	Présents

Tableau IX : Principales caractéristiques
des types de consommation à l'adolescence

– *La consommation autothérapeutique* dans laquelle c'est
l'effet anxiolytique, antihyperkinétique ou antidépresseur du produit qui est recherché (« être cool, être
bien »). Cette consommation est souvent solitaire, plus
régulière que la précédente, en particulier le soir dans la
chambre ; la recherche d'un sommeil difficile à trouver y
contribue beaucoup. Toutefois, cette consommation
solitaire peut alterner avec des moments de consommation en groupe. Au plan de la scolarité, on constate en

général les premiers signes d'un décrochage avec chute des notes, désintérêt croissant et difficulté de plus en plus importante à se mettre au travail. Un échec scolaire peut s'installer et aller jusqu'au redoublement. De même, l'adolescent décroche souvent de ses activités habituelles (sportives, culturelles) pratiquées de façon plus irrégulière. Sa vie sociale s'appauvrit et se limite à d'autres consommateurs réguliers comme lui. Les facteurs de risque familiaux ne sont pas nécessairement présents. En revanche, on trouve souvent des facteurs de risque individuels actuels ou anciens. Parmi eux, mentionnons la fréquence des troubles du sommeil (difficultés importantes d'endormissement, cauchemars) ou de troubles existant déjà dans la petite enfance. On observe également les troubles anxieux ou dépressifs décrits précédemment.

– *La véritable consommation toxicomaniaque*, où c'est l'effet anesthésie-défonce qui est recherché (être « comateux »). La consommation est à la fois solitaire et en groupe, régulière, quasi quotidienne. L'exclusion de la scolarité et des circuits de socialisation constitue le risque majeur, précédée de comportements fréquents de rupture (changement incessant d'établissement, d'orientation, échecs répétés aboutissant à l'exclusion). Sur le plan social, l'adolescent n'a de relation qu'avec d'autres jeunes en situation marginale ou en rupture. Il est fréquent et même habituel de trouver des facteurs de risque familiaux : mésentente parentale chronique ou, au contraire, atmosphère étouffante et hyperrigide, alliance pathologique entre personnes de générations différentes (un parent avec son adolescent, ligués contre l'autre parent), difficultés socio-économiques majeures, laxisme

et indifférence des parents, parents alcooliques ou toxicomanes. On trouve également des facteurs de risque
individuels. Ils sont identiques à ceux énoncés précédemment mais sont souvent masqués par la massivité de
la consommation toxicomaniaque (difficile de constater
des troubles du sommeil quand le rythme social habituel
est totalement perturbé) et peuvent être tout autant la
cause que l'effet de l'abus.

Au-delà de ces chiffres qui évoluent d'année en année et
des modes d'utilisation, ce qu'une mère cherche avant tout
à comprendre, c'est la raison pour laquelle son fils risque
d'utiliser ou utilise déjà de la drogue. En fait, il n'est pas
facile de déterminer les raisons qui poussent un enfant
devenant adolescent à en consommer à des fins non médicales. En outre, la multiplicité des drogues et l'hétérogé-
néité des consommateurs ne facilitent pas les explications.
Il faut reconnaître que, le plus souvent, au départ, le but
premier de la consommation de drogue est la curiosité. Certains jeunes, mais pas tous, vont en retirer du plaisir, même
s'ils se rendent compte que cette satisfaction est momentanée. Ceux qui continuent répondent en fait à une deuxième
grande motivation : le besoin de « détente » artificielle. Cela
veut dire que les adolescents qui deviennent des toxicomanes ou qui se droguent fortement sont des adolescents
qui n'ont pas trouvé, dans leur vie personnelle ou relationnelle, dans leurs activités quotidiennes intellectuelles, artis-
tiques ou sportives ou dans leurs réflexions personnelles,
des moyens de se détendre autrement que par le recours à
un produit dont les effets chimiques leur apportent ce qu'ils
devraient attendre d'activités plus naturelles.

D'un point de vue psychologique, le toxicomane présente un certain nombre de motivations inconscientes que

Claude Olievenstein, un des premiers spécialistes à s'être préoccupé de ce phénomène, a présentées sous forme de relations spécifiques :

– Un rapport à la transgression et à la loi qui fait la seule violence possible chez le toxicomane devient l'utilisation et la transformation de son propre corps.

– Un rapport au plaisir dans lequel l'introduction d'un produit que l'on se procure dont on pense maîtriser la force détermine, du moins pour la première fois, un plaisir orgasmique le plus souvent d'une qualité exquise et supérieure au plaisir de l'orgasme sexuel.

– Un rapport à soi, dans lequel l'utilisation de la drogue, pénétration de soi par soi, renvoie à la vérification de sa propre existence.

– Un rapport, enfin, au risque et à la mort, car s'il y a risque en se droguant, il y a à la fois recherche de risque et jeu avec la mort.

Actuellement, la majorité des spécialistes accordent à la drogue une signification commune, celle de protéger un moi trop fragile contre des sentiments anxieux ou dépressifs trop forts. À ce titre, les relations entre la prise de drogue et la dépression chez l'adolescent sont donc extrêmement fortes. Le lien entre la consommation de produit, l'anxiété et la dépression, qui peut aboutir ultérieurement à la toxicomanie proprement dite, indique que, surtout au début des habitudes de consommation, il ne faut pas se centrer uniquement sur le produit, mais prendre en compte les autres manifestations.

Je pense à un garçon âgé de 15 ans, dont le père était toxicomane. Ce garçon, vivant avec sa mère, exprimait sans difficulté qu'il souffrait des attitudes abandonniques de son père à son égard, attitudes qui l'empêchaient de pouvoir rencontrer son père, comme il l'aurait souhaité. Il vivait cette situation comme une contrainte externe liée aux difficultés de son père, mais ce qui est apparu, au fur et à mesure que je le connaissais mieux, c'était qu'il existait, de sa part à lui, un comportement incontrôlable qui le conduisait systématiquement à se faire rejeter et, donc, abandonner. Cela ne l'empêchait nullement d'avoir des mouvements franchement dépressifs dans lesquels la culpabilité de ses comportements à l'origine du rejet de ceux qui l'entouraient passait au premier plan. Mais ce qui était évidemment impressionnant, comme souvent dans ces cas-là, c'était l'impossibilité de ce garçon à prendre conscience, ce qui paraissait évident pour beaucoup, de ce comportement incontrôlable de se faire rejeter.

En tant que mère, face à un fils dont vous soupçonnez ou découvrez qu'il se drogue, que devez-vous faire ? Il faut reconnaître que les professionnels ont souvent eu tendance à s'intéresser au toxicomane plutôt qu'à ses parents. Pourtant, ces derniers traversent des difficultés très importantes, qui les concernent eux, mais qui touchent aussi le maintien de l'équilibre familial, l'affection et le désir de soins qu'ils portent à leur enfant. Ces parents sont souvent désarmés et entraînés par le jeune toxicomane dans des contre-attitudes ou des comportements contradictoires, qui sont faciles à repérer sur un plan théorique mais beaucoup plus difficiles à éviter dans la vie quotidienne. Cependant, il est important, pour les parents, de garder en mémoire quelques conseils généraux afin de ne pas être trop démunis et de conserver une ligne de conduite leur permettant de ne pas se désorganiser eux-mêmes.

• Le premier conseil est de ne pas garder pour soi ses soupçons. Il faut en parler avec un proche, évidemment l'autre parent en premier lieu. Cet échange permettra de se sentir plus sûr de soi dans l'appréciation du problème, de mieux savoir comment en parler avec son fils et d'éviter des attitudes contradictoires entre parents sur lesquelles l'enfant aura beau jeu de s'appuyer.

• Le deuxième conseil, qui est essentiel, est de ne pas confondre l'utilisation occasionnelle ou festive de drogue avec ses autres modes de consommation. Il s'agit de ne pas entrer dans une escalade de soupçons et de mesures de surveillance, car ceux-ci risquent d'être plus dangereux que bénéfiques. Mais il s'agit aussi, en cas de consommation autothérapeutique et *a fortiori* toxicomaniaque, d'accepter la nécessité d'une démarche de soins, sans trop attendre ou espérer vainement que tout rentre dans l'ordre sans changement. Chaque utilisateur de drogues est un cas particulier, quels que soient les points communs, aussi bien au niveau des raisons qui l'ont amené à se droguer qu'au niveau des moyens qui peuvent l'amener à arrêter. Le dialogue avec l'adolescent peut seul permettre à la mère et aux parents de savoir peu à peu où en est leur enfant dans son intoxication et surtout de connaître la place que prend la drogue dans sa vie. L'évaluation par des repères extérieurs et indirects présente également un intérêt : le jeune poursuit-il à peu près normalement sa scolarité (sans pression excessive des parents) ? Conserve-t-il ses habituelles activités sportives, culturelles, de loisirs, avec le même intérêt ? Ses relations avec ses copains ont-elles ou non assez brusquement changé ? A-t-il des difficultés dans d'autres domaines (sommeil, relation amicale ou amoureuse, manifestation d'angoisse, de dépression...) ? Le climat familial est-il particulier ? Les parents acceptent-ils d'affronter objectivement ces éventuels problèmes ?

N'attendez pas trop d'une connaissance précise des signes cliniques, car ceux-ci, comme les manifestations somatiques de l'intoxication, dépendent de la quantité du produit, du moment de sa prise et surtout du désir de dissimuler, ou non, cette intoxication. Ils ne peuvent pas servir d'indicateurs fiables.

• Le troisième conseil est de ne jamais céder au chantage ou à la demande d'argent de la part du toxicomane. Cette attitude est parfois difficile à assumer, car la mère ou les parents craignent, quelquefois à juste titre, que, s'ils refusent cette aide, leur fils se procure ce dont il a besoin par des moyens illégaux. Il nous semble, à partir de notre expérience, qu'à ce niveau, il faut être extrêmement ferme.

• Enfin, plus qu'un conseil, je recommande d'accepter l'idée que votre fils est habité par un « corps étranger », contre lequel il faut lutter avec lui de toutes ses forces, en sachant que, s'il s'agit déjà d'un véritable problème de toxicomanie, cette lutte sera longue, qu'elle ne se limitera pas à une simple cure de sevrage ou de désintoxication et qu'il y aura, dans le cas de toxicomanie grave, bien des batailles perdues. Mais le temps, lorsque la vie demeure, travaille pour les parents et le jeune, à condition de ne jamais capituler définitivement.

Tout ce que je viens d'écrire ne résout évidemment pas le problème de la toxicomanie, il faut associer la connaissance de moyens thérapeutiques dont l'objectif est d'agir beaucoup plus en profondeur. En ce qui concerne les consommateurs que nous appelons « autothérapeutiques » et, *a fortiori*, les consommateurs occasionnels, nous conseillons le plus souvent de voir le médecin de famille ou de recourir à des consultations spécialisées pour les jeunes (adolescents et jeunes adultes) présentant des difficultés psychologiques, plutôt qu'à des centres spécialisés pour toxicomanes qui accueillent une population plus gravement atteinte et qu'on trouve aujourd'hui répartis dans l'ensemble du pays (on peut s'en procurer l'adresse auprès de son médecin généraliste ou de la Direction sanitaire et sociale de son département). Dans ces centres, travaillent des équipes pluridisciplinaires constituées d'éducateurs, d'assistantes sociales, de psychothérapeutes, qui peuvent prendre en charge, pour une longue période, l'adolescent dans le but de l'aider psychologiquement et de permettre sa réinsertion à moyen et long terme. Ces centres sont associés à des centres de postcure et de réinsertion sociale ainsi qu'à des placements familiaux ou des lieux communautaires de réadaptation. Rappelons que l'utilisation de produits de substitution (méthadone, Subutex) doit être réservée aux toxicomanes avérés et signalons aussi l'existence de plusieurs lieux spécialisés dans l'aide et l'accompagnement aux familles en difficulté.

Pour finir, il est bon de connaître, dans le but de préserver l'avenir somatique et/ou psychique de l'enfant, quelques aspects plus spécifiquement médicaux et quelques mesures immédiates ou d'urgence :

– Les réactions hallucinatoires ou délirantes aiguës secondaires à une prise de haschisch, d'hallucinogènes, d'amphétamines ou de cocaïne nécessitent le plus souvent un bref séjour en milieu hospitalier et doivent être traitées par des médicaments spécifiques.

– La dépression respiratoire secondaire à une intoxication aiguë aux opiacées (morphine, héroïne) et le coma doivent être traités rapidement par des services d'urgence (SAMU, pompiers).

– Le classique état de manque doit être traité si possible
en milieu médical, le premier geste étant de rassurer le
sujet, de lui donner de l'eau et du jus de fruits en abon-
dance avant d'appeler un médecin, ce qui doit être fait
systématiquement.

Mon fils est violent

La vie quotidienne du garçon est marquée par le besoin
de mettre en avant sa force, en particulier sa force physique. Cette expression naturelle chez tout garçon peut
parfois devenir un des modes d'expression privilégiés pour
les conflits et les angoisses. C'est ce qu'on regroupe
aujourd'hui sous le terme de « troubles des conduites » :
agressions vis-à-vis des autres enfants ou des animaux,
destructions d'objets, vols, violations graves de règles de
conduite, tout cela commençant avant l'âge de 13 ans. Ces
troubles sont devenus un des motifs de consultation les
plus fréquents en pédopsychiatrie et peuvent évoluer vers
de véritables délinquances à l'adolescence.

Face à un garçon qui s'exprime volontiers sur un mode
physique, il faut distinguer le comportement agi, inten-
tionnel et adapté, c'est-à-dire une conduite spontanée à
haute portée positive, nullement irréfléchie pour autant, et
les « passages à l'acte » qui sont des comportements le plus
souvent violents et agressifs, à caractère fréquemment
impulsif et délictueux. L'impulsion désigne, quant à elle, la
survenue soudaine, ressentie comme une urgence, d'une
tendance à accomplir tel ou tel acte, quel qu'il soit. Celui-

ci s'effectue hors de tout contrôle, est inadapté et généralement sous l'emprise de l'émotion.

Les comportements violents d'un garçon peuvent se
manifester à l'extérieur de la famille mais aussi en famille,
et faire de votre fils un tyran familial. La violence à l'extérieur de la famille est en relative augmentation et montre
un âge de début de plus en plus précoce. Lorsqu'elle va
jusqu'au délit, en particulier à l'adolescence, elle est
presque exclusivement le fait de garçons. Il faut dire que
dans le cas de délit ou encore plus rarement de crime, les
facteurs socioculturels semblent peser d'un grand poids,
puisque les deux tiers des cas viennent de zones urbaines
défavorisées, les adolescents faisant partie de bandes plus
ou moins délinquantes.

Les « tyrans familiaux » ne sont pas exceptionnels,
puisque leur fréquence oscille entre 0,5 et 13,7 % des
enfants, très majoritairement des garçons. Aux États-Unis,
9,2 % des adolescents frapperaient au moins une fois par
an leurs parents et, au Japon, 3,7 % des individus de moins
de 18 ans ont exercé des violences contre leurs parents. En
France, certains ont trouvé un taux très proche : 3,4 %[11].
L'adolescent, ou plus rarement l'enfant, ne respecte pas les
consignes, transgresse les limites, adopte des comportements ouvertement provocateurs. Il peut devenir le véritable tyran de toute la maisonnée, exerçant son emprise
sur ses parents, mais aussi parfois sur la fratrie. Ces petits
« tyrans » familiaux montrent souvent une trajectoire
caractéristique : tout commence par de la violence verbale,
laquelle est suivie par des agressions sur les biens après de
nombreuses menaces de bris d'objets qui ont conduit les
parents à céder aux exigences. Parfois, de véritables crises
de fureur clastique aboutissent à un saccage complet d'une

ou plusieurs pièces. Cela survient le plus souvent dans un contexte de frustration qui n'est pas toujours le fait des parents. Parallèlement, les violences morales commencent à être imposées au membre le plus vulnérable de la famille : enfermement à clé dans une pièce, extorsion d'argent sous menace, brimades diverses. Les violences physiques surviennent donc au terme d'une longue escalade ; elles débutent souvent par un geste brutal et habituel, mais qui, cette fois, est allé plus loin et a touché sa cible !

Il y a des situations où la violence reste strictement limitée au milieu familial, sans autre trouble ou conduite violente à l'extérieur. Cela s'observe plutôt chez de jeunes adolescents, vers 12-13 ans, qui, sans être des enfants violents, ont été des enfants capricieux et difficiles et dont les conduites violentes restent focalisées sur l'un des parents, généralement la mère. On a remarqué que, plus souvent que les autres, ces jeunes sont volontiers isolés, parfois même timides dans le milieu extra-familial, qu'ils sont l'objet des moqueries de leurs camarades ou le bouc émissaire de leur classe. À la maison, ils semblent se venger de cette situation d'infériorité et font subir à leurs proches ce dont ils sont les victimes à l'extérieur. Il est rare que la violence physique soit inaugurale. Dans la quasi-totalité des cas, une violence verbale l'a précédée (insultes, menaces verbales, attitudes de provocation) et les parents, surtout les mères, se plaignent d'un manque de respect, d'insolence, d'arrogance. Le fait qu'un garçon devienne excessivement violent verbalement à l'égard de sa mère justifie une attention « préventive ». Une évaluation éducative et psychologique doit être immédiatement envisagée.

Le plus souvent, en dehors de la famille, ces garçons présentent aussi des difficultés : violences verbales à l'école, insultes à l'égard d'un professeur, colères en pleine cour, bagarres, actes délictueux pouvant aller jusqu'à des vols, des fugues et, dès le début d'adolescence, consommation excessive d'alcool avec ivresses répétées et de drogue. Les difficultés scolaires sont habituelles : retards, mauvais résultats, absentéisme, exclusion, rupture scolaire, changements répétés d'établissement. On ne peut donc pas dire que les comportements violents surgissent sans préalable, car ces enfants (il s'agit de garçons dans 75 à 80 % des cas, âgés de 9 à 17 ans avec un pic vers 13-14 ans) ont souvent présenté des difficultés psychologiques antérieures : presque tous ont connu des problèmes comme des troubles sphinctériens (énurésie, encoprésie), des troubles moteurs (instabilité, tics), des troubles du sommeil, des retards de développement et des apprentissages[12]. Toutes les études signalent, en revanche, que les parents victimes sont souvent assez âgés : ils avaient plus de 35 ans à la naissance de l'enfant agresseur et, malheureusement, dans une très grande majorité des cas, le niveau socio-économique est faible, marqué par l'absence de qualification professionnelle, le chômage, l'invalidité. Le climat familial est lui-même souvent violent. Deux grands types de familles ont pu être décrits : celles où une carence d'autorité est manifeste avec un père dévalorisé, déchu, se désintéressant de son enfant ; celles où les pères sont violents, impulsifs, autoritaires, mais, en même temps, rejettent leur enfant, ont souvent des problèmes avec la justice pour des épisodes d'alcoolisation aiguë et sont instables sur le plan professionnel quand ils ne sont pas chroniquement au chômage[13].

On observe fréquemment dans la petite enfance de ces jeunes tyrans, à la période d'opposition, c'est-à-dire entre 2 ans et demi et 3-4 ans, des caprices constants ou des gestes agressifs importants (morsures répétées d'un autre enfant ou du parent, lancement agressif d'objets) et exacerbés par rapport aux comportements normaux à cet âge. Si ces comportements durent, l'attitude attentive, autoritaire et limitante des parents est essentielle et préventive. Ceux-ci doivent exprimer une réprobation franche, élever nettement la voix, empêcher fermement le geste, toute conduite qui, lorsqu'elle est partagée par les deux parents et qu'elle est la réponse régulière, cohérente et automatique au comportement de menace du jeune enfant, aboutit rapidement à la disparition de ces gestes agressifs. Il est donc nécessaire pour les professionnels de soutenir les parents dans ces positions éducatives dénuées d'ambiguïté, en leur disant qu'apprendre à un enfant le respect dû aux parents constitue la meilleure protection ultérieure pour leur enfant : son respect pour lui-même sera calqué sur son respect pour ses parents. Il est évident que les contenants d'autorité acquis durant l'enfance représentent, pour le jeune comme pour ses parents, la plus efficace des garanties. Si les difficultés sont telles qu'elles nécessitent l'intervention de tiers, une thérapie familiale peut être proposée afin d'aborder les habituelles distorsions de communication intrafamiliales. Des aménagements de vie peuvent aussi être envisagés quand les approches relationnelles semblent impossibles à mettre en place (séparation et internat thérapeutique, voire hôpital de jour). Enfin, il faut parfois savoir recourir à des traitements médicamenteux d'autant plus efficaces que le jeune et ses parents acceptent cette prescription et qu'elle répond à des troubles bien identifiés comme l'impulsivité. Mais, là encore, il est préférable d'associer à cette prescription une approche relationnelle comme une psychothérapie de soutien.

Mon fils a-t-il
des problèmes sexuels ?

Même si elle doit rester discrète et éviter d'être à l'affût des questions sexuelles que se posent son fils, une mère peut percevoir ou intuitivement sentir les difficultés que rencontre son garçon. Ces difficultés, il pourra les manifester sous des formes masquant généralement le vrai problème : malaise persistant dans ses relations aux autres, refus de sortir, prise d'alcool ou de drogue. Parmi les difficultés sexuelles les plus fréquentes, figurent l'éjaculation précoce, l'impuissance (absence d'érection) ou encore l'anorgasmie (absence d'éjaculation). Ces deux derniers troubles sont moins répandus, mais ils peuvent survenir aussi au cours des premiers rapports sexuels.

Si les premières relations sexuelles ont lieu dans un climat de confiance avec un partenaire pour lequel l'adolescent éprouve tendresse et affection, ces difficultés s'atténueront et disparaîtront, et le couple d'adolescents accédera progressivement à des relations plus satisfaisantes. En revanche, ces premières expériences peuvent être source de traumatismes psychiques si elles ont été accomplies « pour voir comment c'était », avec le besoin de normalité comme guide essentiel, et c'est souvent le cas chez le garçon. Dans ces conditions, ce dernier peut se vivre comme porteur d'une sexualité anormale ou d'un appareil génital lésé, fantasmes qui vont tous dans le sens d'une « angoisse de castration » autour de laquelle risquent ensuite de se pérenniser les diverses difficultés énoncées. L'aide d'un spécialiste peut ici être recommandée. Le garçon pourra plus aisément se confier sans culpabilité et sans honte.

Il faut également savoir que la multiplication des expériences sexuelles et des partenaires représente souvent pour l'adolescent, surtout s'il est jeune, une sorte de fuite dans le passage à l'acte qui risque, peu à peu, de dévitaliser la conduite amoureuse, la réduisant au simple « coït ». Certains adolescents cherchent à soigner ainsi leur déception, voire leur dépression. La relation amoureuse risque alors de ne plus être vécue comme une occasion d'établir des liens et des échanges affectifs avec une personne. Souvent, ces relations sexuelles multiples s'inscrivent sur un fond utilitaire et d'exploitation de l'autre. L'abord psychologique de ces adolescents révèle avec le temps qu'ils souffrent souvent, en fait, d'un doute profond sur leur sentiment d'identité ou d'un lien extrêmement fort à des images œdipiennes dont ils n'ont pas pu se dégager suffisamment. Ainsi, en apparence ils cherchent des partenaires nombreux et différents, mais c'est parfois pour mieux conserver dans le secret de leurs fantasmes un lien privilégié avec l'un de leurs parents. Bien entendu, la multiplication des expériences sexuelles ouvre la porte aux complications liées à ce type de pratiques : maladies sexuellement transmissibles et menace possible du sida.

À l'inverse des ados qui multiplient les partenaires, d'autres n'ont pas du tout de relations sexuelles. Sont-ils anormaux pour autant ? Il y a vingt ans cette question aurait suscité la surprise, si ce n'est la stupéfaction ! De nos jours, un adolescent qui n'a pas de relations sexuelles peut, dans certaines conditions et certains milieux, être tenu pour anormal. On peut d'ailleurs considérer qu'une telle interrogation est le revers de l'interrogation symétrique de l'adolescent au médecin ou à son confident : « Est-ce que je suis normal ? » Toutefois, il est important de ne pas se limiter aux seules relations sexuelles et d'envisager la vie sexuelle de l'adolescent dans son ensemble. Il convient en particulier de distinguer les fantaisies et les fantasmes liés à la sexualité, les pratiques masturbatoires et la relation sexuelle elle-même.

Mais l'inquiétude prédominante des mères concernant un fils chez qui elles perçoivent des difficultés de relations avec les filles ou des attitudes, un ton de voix et des comportements « peu masculins », porte essentiellement sur son homosexualité éventuelle. Aujourd'hui, si, socialement, il ne s'agit plus d'un tabou, familialement et, pourrait-on dire, maternellement, la difficulté persiste, du moins avant ou au début de la « révélation ». Si moins de 5 % des adolescents se disent concernés, il semble qu'après 18-19 ans, la proportion de jeunes adultes se reconnaissant comme homosexuels augmente.

Une mère doit savoir que l'homosexualité d'un garçon est une conduite qui renvoie en réalité à des situations parfois fort différentes les unes des autres et à des explications beaucoup moins stéréotypées et psychologiques que celles qu'on faisait encore il y a vingt ans (du style : « C'est à cause de sa mère ! »). En termes de situation, il faut distinguer le fantasme ou la crainte d'être homosexuel de l'homosexualité comme pratique régulière et exclusive de toute autre relation, source d'équilibre et de reconnaissance de son identité sexuée. Il faut aussi distinguer les pratiques d'allure homosexuelle (attouchements), voire une véritable relation homosexuelle, mais passagère, de relations subies de la part d'un adulte demandeur ou, encore plus, de la prostitution vénale. Nous aborderons brièvement ces différents problèmes car, si les pratiques homosexuelles régulières et le choix homosexuel assumé ne concernent qu'un nombre limité d'adolescents, il n'en va pas de même des fantasmes d'homosexualité et parfois des expériences de type homosexuel au début de l'adolescence pour lesquels une compréhension psychologique reste plus acceptable que pour les situations précédentes.

Certains jeunes se sentent parfois plus attirés par d'autres jeunes de même sexe et développent la crainte d'être homosexuels. On considère souvent que cette crainte est relativement normale au début de l'adolescence et fait, en quelque sorte, partie du développement. En effet, dans le cours du processus identificatoire, l'adolescent a besoin de mettre à distance le parent du même sexe, ce qu'il fait souvent dans un contexte agressif. Toutefois, certains adolescents, pour contrôler cette agressivité, ou pour la nier, adopteront une position de relative soumission envers ce parent. D'autres, à l'inverse, se sentiront attirés par l'image qu'ils souhaiteraient avoir. Qu'il s'agisse de la soumission pour dénier toute tendance agressive ou de la recherche d'une image idéale du sexe auquel on appartient, dans les deux cas, le choix inconscient peut s'apparenter à un choix homosexuel. Ce choix transitoire ne fait que traduire le travail psychique résultant du lien au parent œdipien du même sexe.

Ces pensées, ces craintes, ces fantasmes restent le plus souvent dans le registre de la normalité, surtout en début d'adolescence, mais ils peuvent connaître un début de mise en acte avec pratique d'attouchements ou ébauches de relation. Les attouchements ou les relations sexuelles intermittentes, surtout lorsqu'ils se pratiquent entre adolescents du même âge, ont plus souvent comme rôle de rassurer le narcissisme du jeune et de susciter un certain éveil à la sensualité que de confirmer ou provoquer un « destin » homosexuel. Dans les internats d'adolescents, les jeux et les moments de rapprochement corporel sont bien connus des pédagogues et des éducateurs. Ils suscitent à la fois une attirance inquiète, un rejet honteux et une dévalorisation méprisante.

Les masturbations mutuelles et les jeux sexuels entre adolescents du même sexe traduisent en général une quête narcissique du sujet et un mouvement de régression face à la crainte hétérosexuelle plutôt qu'un réel choix homosexuel. En revanche, la réaction des adultes peut être déterminante si elle donne le sens d'un choix homosexuel délibéré à ces conduites. L'adolescent peut se sentir identifié comme homosexuel par l'adulte et, dans un second temps, utiliser agressivement cette identification contre son corps et son choix d'identité sexuée. Il faut savoir que de telles pratiques homosexuelles intermittentes n'inscrivent pas nécessairement un jeune dans une vie homosexuelle durable et exclusive et qu'il faut les dédramatiser pour que le vécu de culpabilité, très fréquent, ne conduise pas l'adolescent à la répétition de ces comportements. Une mère inquiète du comportement ambigu de son fils ne doit donc pas systématiquement en conclure que son fils ne se sent en harmonie avec lui-même que s'il est reconnu comme homosexuel. Nous l'avons dit, seul un petit nombre d'ados, surtout à partir de 17-18 ans, semblent s'organiser définitivement dans un choix homosexuel qui exclut toute vie hétérosexuelle. Ce choix traduit en général une orientation définitive dans l'identité sexuée.

Quant aux quelques cas où l'adolescent – il s'agit en effet le plus souvent d'un garçon – est victime de véritables séductions homosexuelles, il semble que l'attitude de l'entourage réclamant des mesures judiciaires bien compréhensibles ait parfois des conséquences plus néfastes que les faits eux-mêmes, du moins en ce qui concerne les adolescents. Les enquêtes montrent que, passé la période du traumatisme, ceux-ci ne présentent pas, par la suite, de déséquilibre psychique majeur qui les conduirait à modifier ultérieurement leurs comportements sexuels. La compréhension de l'entourage, mais aussi sa capacité à « oublier » le traumatisme sont certainement ce qui permettra le mieux à un adolescent de ne pas être durablement envahi par cette expérience.

Reste l'homosexualité vénale qui relève de problèmes intriqués. Elle implique deux séries de facteurs : d'une part, des facteurs liés à l'environnement (l'adolescent est pris dans un réseau où il se trouve exploité par des adultes) et, d'autre part, des facteurs psychologiques (carences affectives, carences éducatives, voire état abandonnique, toxicomanie).

Si nous avons ainsi insisté sur les différents types d'homosexualité, c'est pour montrer que, sous ce terme, se cachent, en réalité, des situations et des explications extrêmement variables, allant du destin physiologique jusqu'à des choix psychologiques inconscients. Une mère doit savoir que l'existence de fantasmes homosexuels ou même d'une relation homosexuelle intermittente en début d'adolescence n'inscrit pas nécessairement son fils dans un choix homosexuel ultérieur qu'elle redoute en tant que mère. En revanche, elle doit savoir que la répétition de ce type d'expérience et, surtout, l'exclusivité de ce type de relations sexuelles renvoient à une identité sexuée durablement installée qu'il ne s'agit plus de condamner. J'ai heureusement rencontré des mères qui, après les angoisses initiales dépassées, savaient accompagner leur fils dans son identité différente de celle de la majorité des garçons.

Quand faire appel
aux professionnels ?

Quand un garçon a de la fièvre, se plaint de douleurs au ventre ou à la tête, qu'il s'est blessé ou paraît fortement fatigué, sa mère n'hésite pas à consulter son médecin. Quand il présente des problèmes de comportement ou un mal-être affectif, la décision est plus difficile. Celui-ci est-il passager ? Ne s'agit-il pas d'une contrariété qui va se résoudre avec le temps ? Ses difficultés scolaires ne sont-elles pas simplement liées à de la paresse ? Toutes ces questions passent alors par la tête des parents.

Mon expérience en ce domaine m'a amené à constater que lorsque les mères décident de demander l'avis d'un professionnel, elles ne le font jamais sans raison. L'idée qu'elles seraient trop inquiètes pour le moral de leur fils, point de vue souvent soutenu par les pères, est inexacte. En revanche, ma pratique professionnelle m'a souvent amené à regretter que ce type de démarche ne soit pas entrepris plus tôt. Quand les difficultés s'installent, elles s'inscrivent plus profondément, des cercles vicieux s'organisent et, évidemment, les progrès seront plus difficiles et plus longs.

Il est vrai que les indices qui incitent à entreprendre une démarche auprès d'un professionnel ne sont pas toujours faciles à repérer. En fait, en matière de troubles du comportement ou de difficultés affectives, le « clignotant » n'est généralement pas tant le type de problème que son intensité. Les indicateurs sur lesquels une mère, au-delà de son intuition et de sa sensibilité personnelle, doit s'appuyer, sont le plus souvent :

- Le cumul des manifestations de souffrance ou de déviance avec apparition de nouvelles conduites s'ajoutant aux précédentes.
- La répétition du problème (utilisation régulière de drogue, quelle qu'elle soit ; absentéisme scolaire fréquent ; plusieurs accidents de la voie publique impliquant des fractures ou des lésions graves ; comportements boulimiques répétés ; bagarres répétées ; ivresses répétées ; redoublements scolaires répétés ; etc.).
- La durée d'une même conduite pendant une période de plus de trois mois, voire de six mois ou plus.
- Des événements de vie source de stress ou d'angoisse aussi bien pour l'enfant que pour son proche environnement (déménagement, maladie ou accident des parents, chômage, etc.).

Lorsque des comportements symptomatiques se combinent entre eux, se répètent, durent et s'associent à des événements de vie négatifs, il est le plus souvent illusoire de croire que « le temps est le meilleur traitement » et qu'il suffit d'attendre. Au contraire, on peut craindre soit une fixation dans un type de difficultés, dont la répétition risque d'avoir un effet de stigmatisation pour l'enfant, aboutissant à une désignation identitaire négative (c'est un « caractériel », un « toxicomane », une « boulimique », un

« délinquant », etc.), soit une aggravation progressive avec un risque de décompensation dans un trouble patent comme une dépression grave ou une décompensation psychotique.

Au total, qu'il s'agisse d'un trouble isolé, mais qui s'installe et qui dure (comportement agressif persistant avec un fléchissement scolaire important par exemple), ou de conduites variées qui se cumulent ou se succèdent, mais qui, souvent, retentissent sur la vie sociale, familiale ou scolaire, il importe d'intervenir rapidement afin de ne pas laisser l'enfant s'enfermer dans des comportements de plus en plus pathologiques et qui l'éloignent de son développement affectif et intellectuel normal, indispensable pour poursuivre une évolution et une croissance satisfaisantes.

Les deux parents doivent alors accepter l'idée de prendre un avis auprès d'un spécialiste, car c'est une démarche qui est susceptible d'ouvrir de nouvelles potentialités, mais le spécialiste, qu'il soit médecin, psychologue, orthophoniste ou éducateur, devra être attentif non seulement aux éventuelles manifestations directement transférentielles (demande impérieuse d'attention et d'amour risquant de créer une rivalité avec la mère ou les parents), mais aussi à la capacité de l'enfant à évoquer différemment un thème déjà abordé, à tenir compte de ce qui a déjà été dit, à apporter un matériel nouveau, à énoncer un problème volontairement occulté lors des premières rencontres, à aborder le domaine des rêveries, fantaisies et fantasmes. Le spécialiste ne doit pas forcer l'enfant à dire ce qu'il a envie d'entendre ; il doit, au contraire, respecter les secrets, les peurs, les pudeurs de son jeune patient, tout en lui permettant d'exprimer ce qui peut le mieux le soulager.

CONCLUSION

MÈRE FORTE, FILS FORT ?

De nos jours, on demande à l'amour maternel de ne pas dériver vers une trop grande faiblesse. On demande aux mamans de résister à l'admiration pour leur chérubin, de ne pas être trop indulgentes ou séduites devant les bêtises de leur petit gaillard, de ne pas couver leur ado, de ne pas l'étouffer. Il est vrai que les mères d'aujourd'hui ont à élever leurs fils dans un monde en changement, qu'elles ont à propulser leurs garçons dans une société incertaine, complexe et plus imprévisible que jamais, qu'elles doivent concilier leur vie professionnelle et leur maternité. Mais, justement, pour toutes ces raisons, les mères doivent, maintenant encore plus qu'hier, manifester à l'égard de leurs garçons, qu'ils soient petits ou grands, de l'exigence, certes, mais aussi de l'attachement, de la complicité, de l'amour. Il faut les y aider.

Aujourd'hui comme hier, toute mère est quelque part une « mère juive » : être fière de son fils représente sa plus

belle réussite ; voir disparaître, réellement ou symboliquement, son fils serait sa plus grande douleur. Mais le
véritable enjeu pour les mamans du XXIᵉ siècle est ailleurs.
Pour elles, il s'agit de parvenir à développer une relation
avec leur fils qui le prépare au monde de demain. Ce
savoir passe par l'apprentissage de la communication entre
deux êtres qui s'aiment et qui, pour autant, ne peuvent se
reconnaître comme identiques. C'est dire si, pour les petits
garçons d'aujourd'hui, adultes de demain, le besoin d'une
mère exprimant sa tendresse et affirmant clairement sa
volonté est nécessaire.

Concilier travail et enfant a été essentiellement une
question de femme ; c'est encore plus vrai de nos jours. La
nounou défaillante, une consultation en urgence chez le
pédiatre, un rendez-vous avec le professeur principal
demeurent souvent à la charge de la mère. Les pères
contemporains continuent plus volontiers d'exhiber, sur
leur bureau, la photo de leur femme et de leurs enfants
qu'ils ne rentrent tôt à la maison. Certes, en 2002, 43 % des
nouveaux pères ont pris un congé de paternité. Si la
France n'est pas la Suède et si les cadres sont beaucoup
plus mal à l'aise que les ouvriers ou les employés pour
prendre ce congé, les temps changent malgré tout, et les
pères s'occupent beaucoup plus de leurs enfants que ne le
faisaient leurs propres géniteurs. On peut citer ce cadre
dans une banque, qui dit : « Les hommes restent quand
même plus à l'aise au bureau que pour donner des bibe-
rons toutes les deux heures. Mais je suis très content de
l'avoir fait, j'ai eu droit aux premiers regards et aux premiers sourires de mon bébé. » Les difficultés n'en sont pas
pour autant effacées : l'homme qui tient à son travail n'a

pas intérêt à faire trop souvent pencher la balance en faveur de sa famille. Or c'est souvent pendant les premières années de mise en orbite dans la vie professionnelle que la vie de famille demande à être la plus investie.

Entre un père et un fils, le plus important est le langage de l'action, c'est plus ce qui se fait qui compte ; entre une mère et un fils, le plus important est le langage des regards, c'est plus ce qui se sait qui compte. Sur une plage, une mère ne quittera jamais totalement du regard son petit garçon qui ne pense qu'à jouer et à courir. Lors des premières pollutions nocturnes, une mère, découvrant les draps mouillés de son adolescent, restera discrète, mais chacun saura que l'autre sait. Cela a toujours été ainsi, et cela le reste. Mais les mères d'aujourd'hui sont confrontées à un autre challenge : celui d'être aimantes et fortes, pour permettre à leur fils de devenir à la fois fort et sensible.

Hercule avait une mère ; David et Goliath aussi. Comment ces femmes ont-elles fait pour éduquer ces « géants » si différents ? Si j'osais une métaphore maritime, je dirais que de tout temps les mères propulsent leur fils, elles en sont le vent et la voile. Les pères, eux, peuvent donner le sentiment de tenir classiquement le gouvernail, mais, en cas de tempête, ce sont les mères qui semblent souvent représenter le dernier garant du cap à dépasser. En outre, je sais par ma pratique que, lorsque les mères sont épuisées et ne peuvent plus « propulser » leur fils tant la résistance est forte, c'est souvent la défaillance paternelle qui en est la raison majeure.

Dans un monde où le statut et le rôle de la femme se sont profondément modifiés et affirmés, dans un monde où la constellation familiale s'est complexifiée, où l'éducation s'est transformée, la valorisation de la relation mère-fils doit cesser de faire peur. Le chemin de la réussite des garçons, classiquement attribuée à une identification paternelle réussie, est, aujourd'hui plus encore qu'hier, tout autant la conséquence d'une image maternelle aimante et volontaire. Les mères d'aujourd'hui peuvent élever leur garçon en lui transmettant certes une confiance masculine en lui, mais aussi une sensibilité féminine.

À la formule « tel père, tel fils », pourquoi ne pas ajouter « telle mère, tel fils » ? On peut d'autant plus se poser la question aujourd'hui que, dans les familles mono-parentales et recomposées, les fils vivent le plus souvent sous le toit maternel. Là, mais aussi dans les familles plus traditionnelles, il faut que les mères soient aimantes, exigeantes, fortes et fières de l'être. En retour, ce que l'homme cherchera à réaliser, dès tout petit garçon, ce sera pour plaire à cette mère-là. N'y a-t-il pas encore une grande part merveilleuse de secret dans cette relation mère-fils ?

NOTES ET RÉFÉRENCES
BIBLIOGRAPHIQUES

Introduction

1. NAOURI A., *Les Filles et leurs mères*, Paris, Odile Jacob, 1998.
2. CORNEAU G., *Père manquant, fils manqué*, Montréal, Éditions de l'Homme, 1992.
3. COHEN A., *Le Livre de ma mère*, Paris, Gallimard, coll. « Folio », 1995.
4. CASSIDY J., SHAVER P. R., *Handbook of Attachment*, New York, The Guilford Press, 1999.

I
ON N'AIME JAMAIS TROP SON FILS

Chapitre I
LES MÈRES ONT LE DROIT D'AIMER LEUR FILS...

1. LAPLANCHE J., *Nouveaux Fondements pour la psychanalyse*, Paris, PUF, 1987.
2. *Ibid.*
3. PARAT H., *L'Inceste*, Paris, PUF, coll. « Que sais-je ? », 2004.
4. *Ibid.*
5. BLOCH-DANO E., *Madame Proust*, Paris, Grasset, 2004.
6. VINCENT L., *Comment devient-on amoureux ?*, Paris, Odile Jacob, 2004.
7. DOLTO F., *Comblée de grâce*, Paris, Nouvelle Cité, 1990.
8. MEUNIER M., *La Légende dorée des dieux et des héros*, Paris, Albin Michel, 1945.

9. MASSA G., *La Maternité dans l'art d'Afrique noire*, Paris, Sépia, 1999.
10. ADLER L., *À ce soir*, Paris, Gallimard, 2001.

Chapitre II
UNE RELATION TRÈS PARTICULIÈRE

1. Je remercie le docteur Georges Bernard et les laboratoires GSK d'avoir accepté que j'utilise ici cette « nouvelle ».
2. MARBEAU-CLEIRENS B., *Les Mères imaginées*, Paris, Les Belles Lettres, 1988.
3. RODRIGUÉ E., propos recueillis par Marie Huret, *L'Express*, 23 août 2004.
4. DE MIJOLLA A., *Freud, fragments d'une histoire*, Paris, PUF, 2003.
5. MARGOLIS D. P., *Freud and his Mother*, New Jersey, Jason Aronson, 1996.
6. HALIOUA B., *Mères juives des hommes célèbres*, Paris, Bibliophane, 2002.
7. ANZIEU D., « Le double interdit du toucher », *Nouvelle Revue de psychanalyse*, 1984, 29, 184.
8. TORANIAN V., *Pour en finir avec la femme*, Paris, Grasset, 2004.

Chapitre III
IL N'Y A PAS D'AMOUR SANS RUPTURE

1. *Le Figaro*, 14 août 2003.
2. MOISSEEFF M., « Enjeux anthropologiques de la thérapie familiale avec les adolescents », *in* Gammer C. et coll., *L'Adolescence, crise familiale*, Toulouse, Érès, 1992.
3. ESCHYLE, *Oreste*, Théâtre complet, Paris, Flammarion, 1990.
4. WIESER D., *Nerval. Une poétique du deuil à l'âge romantique*, Genève, Droz, « Histoire des idées critiques », 2004.
5. MARBEAU-CLEIRENS B., *op. cit.*
6. LEBOVICI S., GABEL M., « L'inceste », *in Nouveau Traité de psychiatrie de l'enfant et de l'adolescent*, Paris, PUF, 1995, p. 2397.

II
ÉLEVER UN GARÇON

1. RICOEUR P., *Parcours de la reconnaissance*, Paris, Stock, 2004.

Chapitre IV
TESTOSTÉRONE !

2. *Ibid.*
3. PALEY V. G., *Boys and Girls : Superheroes in the Doll Corner*, Chicago, University of Chicago Press, 1984.

4. BRODY L., HALL J., « Gender and emotion », *in* Lewis M., Haviland J., *Hanbook of Emotions*, New York, The Guilford Press, 1993.

5. LAPOUSE R., MONK M. A., « Fears and worries in a representative sample of children American », *J. of Orthopsy*, 1959, 19, 803-813.

Chapitre V
MÈRE-FILS, MÈRE-FILLE : QUELLES DIFFÉRENCES ?

1. BADINTER E., *Fausse Route*, Paris, Odile Jacob, 2003.

2. Le regretté humoriste Pierre Dac avait sans doute bénéficié d'une mère moins « féministe », ce qui lui permit d'écrire : « Il y a une guerre entre les sexes, mais il y a aussi beaucoup de fraternisation avec l'ennemi. »

3. HINES M., *Brain/Gender*, New York, Oxford University Press, 2004.

4. CHOQUET M., LEDOUX S., *Adolescents*, Enquête nationale, Analyses et prospectives, Paris, La Documentation française, 1994.

5. CHOQUET M., LEDOUX S., *op cit.*, La Documentation française, 1994.

6. *Ibid.*

7. MIMOUN S., ÉTIENNE R., *Ados, amour et sexualité*, Paris, Albin Michel, 2001.

8. CHAPELIER J.-B., « Grossesse et adolescence : approche ethnopsychiatrique », Actes du colloque *Grossesse et adolescence*, sous la direction de D. Marcelli et A. Alvin, Poitiers, FIREA, 2000.

9. Sondage « À quoi rêvent les 13-18 ans ? », *Clés de l'actualité*, septembre 2004.

Chapitre VI
MON FILS GRANDIT

1. BRAZELTON T., CRAMER B., *The Earliest Relationship : Parents, Infants and the Drama of Early Attachment*, New York, Persens Books Group, 1991.

2. TRONICK E., COHN J., « Infant-mother face to face interaction », *Child Development*, 1989, 60, 80-92.

3. ROBIN M., « Les comportements tactiles de la mère à la maternité », *Neuropsychiatrie de l'enfance et de l'adolescence*, 1986, 34, 8-9, 421-430.

4. WEINBERG K., TRONICK E., COHN J., OLSON K., « Gender differences in emotional expressivity and self regulation during early infancy », *Child Development*, 1997.

5. JAMET D., *Notre après-guerre*, Paris, Flammarion, 2003.

6. JAMET D., *Un petit Parisien*, Paris, Flammarion, 2001.

7. CORCOS M., FLAMENT M., JEAMMET P., *Les Conduites de dépendance*, Paris, Masson, 2003.

8. GEDANCE D., LADAME F., SNAKKERS J., « La dépression chez l'adolescent », *Revue française de psychanalyse*, 1977, 36, 257-259.

9. WINNICOTT D. W., *Jeu et réalité*, Paris, Gallimard, 1975.

10. SCHNEIDER M., *Big Mother*, Paris, Odile Jacob, 2002.

11. FRANÇOIS-PONCET C. M., « Le temps à l'épreuve de la clinique », *Adolescence*, 2002, 40, 303-316.

12. WIDLOCHER D., *Les Nouvelles Cartes de la psychanalyse*, Paris, Odile Jacob, 1996.
13. BRACONNIER A., *Le Sexe des émotions*, Paris, Odile Jacob, 1996 ; « Poches Odile Jacob », 2000.
14. ARNAUD C., *Jean Cocteau*, Paris, Gallimard, 2003.

III
LE GARÇON AVEC SA MÈRE, SES SŒURS, SES FRÈRES ET SON PÈRE

Chapitre VII
À QUOI SERVENT LES MÈRES ?

1. MASSIE H., SZAJNBERG N., « The relationship between mothering in infancy, childhood experience and adult mental healh », *Int. J. Psychoanal.*, 2002, 83 : 35-55.
2. BRACONNIER A., *Le Guide de l'adolescent*, Paris, Odile Jacob, 1999.

Chapitre IX
LES FAMILLES D'AUJOURD'HUI

1. Insee, *Première*, n° 901, juin 2003.
2. FREUD S., *Pour introduire le narcissisme*, tr. fr. D. Berger et J. Laplanche, *in La Vie sexuelle*, Paris, PUF, 1969.
3. NUNBERG H., *Principes de psychanalyse*, Paris, PUF, 1957.
4. DESJARDINS T., *Un inconnu nommé Chirac*, Paris, La Table ronde, 1983.
5. C. NAY, *Le Noir et le Rouge*, Paris, Grasset, 1984.
6. B. CLINTON, *Ma vie*, Paris, Odile Jacob, 2004.
7. E. JONES, *La Vie et l'œuvre de Sigmund Freud*, Paris, PUF, 1992.
8. A. CARON, *Strong Mothers, Strong Sons*, New York, Harper Perrenial Ed., 1995.
9. CORNEAU Guy, *Père manquant, fils manqué*, Montréal, Éditions de l'homme, 2004.
10. HALIOUA B., *Mères juives des hommes célèbres*, Bibliophane Daniel Radford, 2002.
11. BOGART S., *Bogart, mon père*, Paris, Denoël, 1996
12. MITSCHERLICH A., *Vers la société sans père*, trad. fr., Paris, Gallimard, 1981.
13. CORNEAU G., *Père manquant, fils manqué, op. cit.*
14. MAUSS M., *Œuvres*, I, *Les Fonctions sociales du sacré*, Paris, Minuit, 1968.
15. BENKEMOUN B., « Petit traité d'éducation comparée », *Madame Figaro*, 07/2003.

16. CHARTIER C., « Marie, et si c'était la première femme moderne ? », *L'Express*, n° 2771, 08/2004.
17. ALLEN C., DWIVEDI S., *Lives in the Indian Princes*, New Delhi, Vedams eBooks Ltd, 1998.
18. CLINTON B., *Ma Vie, op. cit.*
19. BRACONNIER A., *Le Guide de l'adolescent, op. cit.*

IV
J'AI DU MAL AVEC MON FILS : COMMENT FAIRE ?

Chapitre X
SCÈNES DE LA VIE QUOTIDIENNE

1. BOGART S., *Bogart, mon père, op cit.*
2. GEORGES G., *Mon enfant s'oppose*, Paris, Odile Jacob, 2000.
3. VIROLE B., *Du bon usage des jeux vidéo*, Paris, Hachette, 2004.
4. CATHELINE N., BEDIN V., *Les Années collège*, Paris, Albin Michel, 2004.
5. GEORGES G., *Ces enfants malades du stress*, Paris, Anne Carrière, 2002.

Chapitre XI
J'AI DES PROBLÈMES !

1. GEORGE G., VERA L., *La Timidité de l'enfant et de l'adolescent*, Paris, Dunod, 1999.
2. LAPOUSE R. et MONK M. A., *op. cit.*
3. FRANCIS G., LAST C. G., STRAUSS C. C., « Expression of separation anxiety disorder : The role of age and gender », *Child Psychiatry and Human Development*, 1987, 18, 2 : 82-89.
4. BAILLY D., *L'Angoisse de séparation*, Paris, Odile Jacob, à paraître.
5. COHEN D. B., *Stranger in the Nest : Do Parents really shape their Child's Personality, Intelligence, or Character ?*, New York, John Wiley & Sons, 1999.
6. ANSERMET F., MAGISTRETTI P., *À chacun son cerveau*, Paris, Odile Jacob, 2004.
7. CHOQUET M., LEDOUX S., *Adolescents*, Enquête nationale, Analyses et prospectives, Paris, La Documentation française, 1994.
8. CHARMAN C., « Stability of affective disorders in adolescence », *Journal of Affective Disorders*, 1994, 30 : 109-116.
9. MARCELLI D., FACHS H., « Relation entre dépression et suicide à l'adolescence », *Nervure*, 1995, 8, 1, 26-34.
10. FERGUSON D. M., BEAUTRAIS A. L., HORWOOD L. J., « Vulnerability and resiliency to suicidal behaviours in young people », *Psychological Medicine*, 2003, 33 : 61-73.

11. LAURENT A., BOUCHARLAT J. et ANCHISI A. M., « À propos des adolescents qui agressent physiquement leurs parents », *Archives pédiatriques*, 1997, 4, 468-472.
12. MARCELLI D., « Enfants tyrans et violents », *Bulletin de l'Académie nationale de médecine*, 2002, 186, 6 : 991-999.
13. LEGRU H., *Les Enfants qui battent leurs parents*, Mémoire de DIU, Médecine et santé de l'adolescence, 2003.

TEST

QUEL(S) TYPE(S) DE MÈRE ÊTES-VOUS ?

**Répondez par oui ou par non
aux questions suivantes et entourez les lettres
correspondant à vos réponses positives**

1. B – Auriez-vous nettement préféré avoir une fille à la place d'un garçon ?
2. A – Acceptez-vous que votre fils ne réponde pas à vos questions ?
3. E – Vous sentez-vous la plus heureuse des mères quand il se câline dans vos bras ?
4. C – Vous sentez-vous obligée de le réveiller chaque matin, bien qu'il ait un réveil dans sa chambre ?
5. E – Vous dites-vous souvent qu'il est le plus beau du monde ?
6. C – Ressentez-vous souvent le besoin de lui dire : « Sois prudent ! un accident est si vite arrivé... » ?
7. A – Acceptez-vous qu'il ne parle pas facilement de ce qu'il éprouve ?

8. C – Vous inquiétez-vous au moindre de ses retards ?

9. B – Pensez-vous souvent : « Je ne me sens bien qu'avec les bébés » ?

10. A – Quand vous avez une critique à lui faire, parvenez-vous facilement à l'exprimer de façon claire et directe ?

11. E – Êtes-vous très émue quand on vous dit qu'il est beau ?

12. B – Avez-vous le sentiment que, puisque votre fils est un garçon, il n'a pas besoin de vous ?

13. E – Avez-vous souvent le sentiment de parler « amoureusement » de votre fils à vos amies ?

14. A – Cherchez-vous pour votre fils des activités où il puisse se dépenser physiquement ?

15. C – Avez-vous toujours peur qu'il n'ait pas suffisamment mangé ?

16. D – Prenez-vous systématiquement son parti contre son père ?

17. D – Avez-vous un besoin excessif de contrôler l'ensemble de sa vie scolaire et de ses fréquentations ?

18. A – Trouvez-vous normal qu'il ne s'intéresse pas à vos soucis personnels ?

19. D – Acceptez-vous difficilement qu'il aime aller chez ses grands-parents ?

20. D – Trouvez-vous ridicule qu'il refuse de vous embrasser ?

21. D – Pensez-vous souvent qu'il pourrait faire mieux ?

22. B – Avez-vous le sentiment, depuis qu'il est né, de ne pas ressentir ce qu'il ressent ?

23. C – Avez-vous toujours peur qu'il se fasse dominer par ses camarades de classe ?

24. E – Quand votre fils reçoit un compliment ou une bonne note, votre moral en est-il tout de suite transformé ?

25. B – Vous sentez-vous mal à l'aise avec votre fils parce que c'est un garçon ?

Analysez vos réponses

– Plus vous avez de réponses A, plus vous êtes une mère bienveillante.

– Plus vous avez de réponses B, plus vous êtes une mère craintive.

– Plus vous avez de réponses C, plus vous êtes une mère protectrice.

– Plus vous avez de réponses D, plus vous êtes une mère possessive.

– Plus vous avez de réponses E, plus vous êtes une mère passionnée.

REMERCIEMENTS

Je tiens à remercier tous les parents et en particulier les mères qui, me demandant de l'aide pour leur fils, m'ont manifesté toute leur confiance.

J'exprime toute ma gratitude à Odile Jacob pour son amitié et son constant soutien.

Mes remerciements vont aussi à toute l'équipe des éditions Odile Jacob, à Catherine Meyer et Marie-Lorraine Colas pour leur contribution précieuse à l'élaboration de cet ouvrage.

TABLE

Chapitre II
**UNE RELATION
TRÈS PARTICULIÈRE**

Chapitre III
**IL N'Y A PAS D'AMOUR
SANS RUPTURE**

TABLE 325

II
ÉLEVER UN GARÇON

Chapitre IV
TESTOSTÉRONE !

Chapitre V
MÈRE-FILS, MÈRE-FILLE :
QUELLES DIFFÉRENCES ?

Chapitre VI
MON FILS GRANDIT

III
LE GARÇON AVEC SA MÈRE, SES SŒURS, SES FRÈRES ET SON PÈRE

Chapitre VII
À QUOI SERVENT LES MÈRES ?

Chapitre VIII
FAMILLES, JE VOUS AIME !

TABLE 327

Chapitre IX
LES FAMILLES D'AUJOURD'HUI

IV
J'AI DU MAL AVEC MON FILS :
COMMENT FAIRE ?

Chapitre X
SCÈNES DE LA VIE QUOTIDIENNE

Chapitre XI
J'AI DES PROBLÈMES !

Imprimé en France sur Presse Offset par

Brodard & Taupin
La Flèche (Sarthe), le 29-02-2008
Nº d'impression : 46211
Nº d'édition : 7381-1891-3
Dépôt légal : février 2007

Imprimé en France